Les Viandes

Les abats
Le gibier
La volaille

Directeur de la collection
ROBERT CASTELL
Auteur des textes
MARTIN MOREDA

Illustrations photographiques
AISA • IBERFOTO • SALMER • P. ROTGER
Maquette
MICHEL O. CATALÁ

Fascination

7, rue Abel Hovelacque
75013 PARIS

Introduction

Vous trouverez à travers ce livre d'excellentes recettes à base de viandes, d'abats, de gibiers et de volailles. Elles sont très variées, il y en a à toutes les sauces, pour toutes les bourses et pour tous les goûts...

Vous avez des amis à dîner, mais guère de temps pour préparer votre repas, prenez du temps la veille et réalisez une délicieuse terrine de foies de volailles (p. 14) ou une galantine de porc (p. 25) ou pourquoi pas un pain de viande (p. 51)? Ces plats froids sont appréciés de tous et simplifient le travail de la maîtresse de maison!

Vous cherchez des recettes "vite faites", choisissez les saucisses aux champignons (p. 37) ou les tranches de rôti de porc au gruyère (p. 34), sans oublier la célèbre fondue bourguignonne (p. 22) ou le steak tartare (p. 29).

Vous voulez donner à votre repas un petit air exotique ou prolonger vos vacances, le pot-au-feu de boeuf à la grecque (p. 21), le ragoût à la noix de coco (p. 22), les rognons au xérès (p. 30), les boulettes de viande à la napolitaine (p. 14), le rôti tropical (p. 35), réjouiront vos convives et donneront une note ensoleillée à votre table...

Vous aimez les recettes "bien de chez nous", la blanquette de veau (p. 17), le rôti aux girolles (p. 15), le ragoût de boeuf (p. 24), le foie aux oignons (p. 31), vous combleront par leur délicieux fumet...

Vous souhaitez des recettes faciles, mais avec un brin d'originalité, alors choisissez parmi les côtes de veau à l'ail et aux anchois (p. 28), les escalopes farcies aux olives (p. 27), les tripes au cidre (p. 28), le ragoût de boeuf à la bière (p. 25), les cervelles à la sauce de courgettes (p. 31), le canard aux raisins verts (p. 46)...

Vous désirez séduire vos invités, n'hésitez pas à leur faire un plat raffiné: une pintade au céleri (p. 50) ou un chapon farci (p. 50), des perdreaux en salmis (p. 54) ou des feuilletés de cailles (p. 56). Evidemment, après avoir dégusté un si bon plat, vos invités ne souhaiteront qu'une seule chose: revenir le plus vite possible à votre table!

Maintenant, il ne vous reste plus qu'à vous mettre au travail, et nous, nous vous souhaitons "bon appétit".

Un conseil: ne donnez pas trop vite les secrets de vos recettes, elles vous appartiennent, à vous, qui venez d'acheter ce livre!

TROIS TYPES DE PRÉPARATION CLASSIQUE DE LA VIANDE

La viande peut être préparée de façon très variée, mais certaines méthodes sont absolument classiques dans le monde entier.

La viande braisée

Il s'agit de la préparation la plus adaptée pour cuire certains morceaux de boeuf qui, étant plus durs que d'autres, n'auraient pas la consistance idéale s'ils étaient rôtis au four ou grillés. Pour les mêmes raisons, c'est également le procédé de cuisson qui convient le mieux à des viandes d'animaux plus vieux.

Ainsi, "braisé" ne veut pas dire grillé sur les charbons ou sur le gril. Pour braiser la viande, il faut un récipient spécial, de forme allongée ou ronde, muni d'un couvercle hermétique pour éviter l'évaporation pendant la cuisson. Ce récipient, appelé cocotte, est souvent remplacé par une simple casserole, à condition que celle-ci possède un fond épais. Une cuisson lente à feu doux, dans une cocotte, attendrit la viande la plus dure. C'est d'ailleurs cette qualité qui détermine le temps de cuisson, et c'est la raison pour laquelle nous n'avons pas in-

diqué de temps précis dans les recettes concernant les viandes braisées.

Il est fortement déconseillé de braiser un petit morceau de viande. Seuls les gros morceaux se prêtent par excellence à ce mode de cuisson. Si vous n'avez pas l'intention de consommer toute la viande, cela n'a pas d'importance: le plat peut être réchauffé maintes fois, ou encore accommodé pour être mangé froid.

A chaque viande sa cuisson

Rôti	filet, faux-filet, aiguillette
Grillé	romsteck, bifteck
Poêle	bifteck, bavette, onglet
Braisé	bourguignon, jarret,
A l'étouffée	viandes nécessitant une longue cuisson pour être attendries

Avant la cuisson, faites macérer ces viandes pendant quelques heures, soit dans une marinade ou dans une sauce à base d'oignons, de carottes, de vin rouge (ou blanc sec), avec un bouquet garni et du poivre en grains.

Au moment de la cuisson, commencez par faire chauffer du beurre ou de l'huile dans la cocotte. La matière grasse doit être très chaude au moment d'y mettre la viande, pour que celle-ci soit "saisie" rapidement et ne perde pas son jus. Une fois bien dorée, retirez la viande du récipient.

Si le morceau est très sec, bardez-le de lard que vous maintiendrez avec une ficelle.

Ensuite, nettoyez la cocotte pour la débarrasser des morceaux qui auraient adhéré pendant que la viande dorait. Mettez-y alors les légumes de la marinade (oignons et carottes cuites et coupées en bâtonnets) et déposez dessus quelques tranches de poitrine ou de lard.

Enfin, mettez la viande et arrosez-la avec le jus de la marinade (ou avec du vin rouge ou blanc sec). Laissez cuire découvert, à feu vif, jusqu'à ce que le liquide ait diminué de moitié. Salez et poivrez à ce moment, puis couvrez.

La cuisson doit se poursuivre à feu doux. Nous avons déjà mentionné que le temps de cuisson dépend de la consistance de la viande, selon qu'elle est dure ou tendre. Pour vérifier si elle est cuite, piquez-la en profondeur avec une aiguille à broder, afin de sentir si elle est tendre à l'intérieur et encore un peu saignante (à moins de désirer une cuisson plus intense).

Le jus réduit peu à peu pendant la cuisson, laissant une partie de la viande découverte. Arrosez-la de temps à autre avec son propre jus et retournez-la afin qu'elle cuise uniformément et ne se dessèche pas par endroits.

Une fois la cuisson terminée, retirez la viande de la cocotte et laissez-la reposer pour qu'elle se contracte. Cela facilite la découpe, toujours en tranches fines et entières.

Tandis que la viande repose, passez la sauce de la cuisson dans une passoire fine (appelée "chinois"), en pressant avec une cuillère en bois. Pour dégraisser, chauffez-la dans une petite casserole: avec la chaleur, la graisse remonte à la surface et vous pouvez alors éclaircir facilement, en retirant l'excédent de graisse avec une cuillère. Versez ensuite la sauce chaude sur les tranches, dès que vous les avez découpées.

Pour présenter la viande braisée à table, disposez-la dans un plat chaud; gardez une partie non découpée et disposez les tranches de façon à ce qu'elles se chevauchent pour donner l'impression que le morceau est encore entier

La viande rôtie

Il s'agit là du procédé idéal pour cuire les morceaux de boeuf les plus tendres et de meilleure qualité, dont la belle couleur rouge et l'aspect lisse et régulier sont caractéristiques.

Nous recommandons de toujours barder la viande à rôtir. La barde de lard, liée avec une ficelle, protège les côtés en évitant que la pièce ne se dessèche à la cuisson.

Choisissez le récipient en fonction de la taille du morceau à rôtir. Il doit comporter une grille sur laquelle vous disposerez la viande afin qu'elle ne baigne pas dans son jus en cuisant.

Enduisez préalablement de beurre la pièce de viande et assaisonnez-la de poivre. En revanche, ne salez pas à ce moment-là, car le sel, en se cristallisant, forme une croûte qui empêche une coloration uniforme. Ne versez aucun liquide dans le récipient: le beurre et le jus de la viande suffisent à faire un fond de sauce.

Allumez le four une dizaine de minutes avant d'y placer le rôti, afin qu'il soit très chaud. La cuisson se poursuit à four chaud.

Ajoutez le sel lorsqu'au fond du plat, peu après le début de la cuisson, la sauce est déjà formée. Arrosez la viande de ce jus toutes les cinq minutes environ. Pour vérifier l'assaisonnement, vous devez goûter la sauce tout au long de la cuisson, jusqu'à ce qu'elle ait le goût désiré.

Les temps de cuisson dépendent de la taille du rôti et sont généralement indiqués dans toutes les recettes.

Lorsque le rôti est cuit, disposez-le dans un plat en le couvrant pour qu'il ne refroidisse pas, le temps de préparer la sauce.

Pour ce faire, placez le plat de cuisson, sans la viande, sur feu doux et ajoutez, une à une, plusieurs cuillères à soupe d'eau bouillante. Remuez et grattez le fond avec la cuillère en bois pour détacher les restes du rôti qui attachent toujours au fond. Sauf spécification spéciale dans la recette, la sauce n'est jamais dégraissée. Elle est servie dans une saucière à part et non versée sur la viande.

La viande rôtie, à la différence de la viande braisée, ne peut attendre pour être servie, pas plus qu'elle ne

Tableau des calories
(pour cent grammes)

Boeuf		Porc	
Bifteck (frit)	273	Viande grasse	399
Viande grasse	355	Viande maigre	148
Viande maigre	100	Côtes (frites)	560
Bouillon de viande		Foie (frit)	236
(dégraissé)	8	Jambon (cuit)	435
Foie (frit)	229	Jambon fumé	262
Langue (cuite)	239	Rôti (frit)	490
Filet (rôti)	214	Rôti (rôti)	410
Filet (frit)	279	Graisse	877
Tripes	99	Lard	628
Foie (grillé)	140		
Rognon (cuit)	100	**Volailles**	
Cervelle	115	Chapon (rôti)	238
		Caille (en sauce)	230
Agneau		Faisan (rôti)	256
Viande grasse	336	Poule (rôtie)	194
Viande maigre	124	Foie de volaille (cuit)	241
Gigot (rôti)	260	Pigeon (rôti)	212
		Canard (rôti)	296
Cochonnailles		Dinde (rôtie)	200
Chorizo	614	Perdreau (rôti)	217
Chorizo (frit)	560	Poulet (cuit)	186
Mortadelle	362		
Saucisse de Francfort	248	**Gibier**	
Saucisson	430	Lapin (rôti)	180
		Lièvre (civet)	209

supporte d'être réchauffée. La sauce doit être préparée quelques minutes avant d'arriver à table. Pour réussir un bon rôti, tant les convives que le cuisinier ou la cuisinière doivent faire preuve d'un peu de discipline à l'égard de l'heure: c'est l'une des conditions essentielles de la réussite du repas. Chauffez le plat de service pour présenter le rôti. N'y mettez qu'au dernier moment les légumes choisis pour la garniture, faute de quoi ils perdraient leur fraîcheur et ramolliraient. Disposez la viande découpée en tranches, tout comme pour la viande braisée.

En général, en tenant compte des légères variantes, proposées dans la recette suivie et imposées par le choix de la pièce, ces règles et ces orientations sont valables pour rôtir toutes les viandes qui se prêtent à ce type de cuisson.

La viande grillée

En dépit de son apparente simplicité, ce mode de cuisson est celui qui pose les problèmes les plus difficiles et les plus subtils. Il demande de l'expérience et un grand sens culinaire. Bien qu'il existe partout des individus capables de préparer d'excellentes grillades, ce sont les Argentins qui sont passés maîtres en la matière; la prolifération de restaurants argentins dans toutes les grandes villes du monde en est la meilleure preuve.

Pour faire griller de la viande, il faut respecter des règles de base précises, quelle que soit la viande choisie (boeuf, porc, agneau).

Le gril doit être très propre, complètement sec et dépourvu de petits morceaux attachés au cours de grillades précédentes.

Maintenez le feu très vif. Le gril doit être presque rouge au moment d'y placer la viande. Celle-ci doit être "saisie" très rapidement, prendre de la couleur et devenir croustillante des deux côtés. En revanche, évitez un feu trop doux qui ramollirait le morceau et le dessècherait, le rendant peu appétissant.

Avant de placer la viande sur le gril, enduisez-la d'huile ou de beurre fondu pour que le morceau n'attache pas et ne se déchire pas lorsque vous le retournerez, ce qui lui ferait perdre une partie de son jus.

N'utilisez jamais de fourchette ou d'ustensile pointu pour retourner la viande, car le jus s'écoule par les trous laissés par les pointes. Utilisez de préférence une spatule ou un ustensile similaire, de forme aplatie.

Ne salez pas la viande avant de la mettre sur le gril. Laissez-la cuire d'un côté et salez avant de la retourner. En début de cuisson, le sel ferait partir l'eau que contient le morceau et qui permet d'obtenir une grillade juteuse et croustillante.

Le temps de cuisson et l'intensité du feu sont deux aspects primordiaux de la grillade, qui mettent à l'épreuve l'habileté et le talent du cuisinier ou de la cuisinière. Ils varient, bien entendu, selon l'épaisseur du morceau à griller. Une minute de chaque côté peut suffire pour cuire une entrecôte fine, si vous l'aimez "bleue". Deux minutes seront nécessaires pour l'obtenir "saignante", telle que l'apprécient les fins gastronomes.

Lorsque vous avez à griller des pièces plus épaisses, diminuez le feu une fois que la viande a pris d'un côté, pour qu'elle cuise à l'intérieur, faute de quoi vous obtiendrez la grillade des débutants et des novices: un magnifique morceau de viande carbonisé à l'extérieur et presque cru à l'intérieur.

LA VIANDE DE PORC

Grâce aux nouvelles méthodes d'élevage industriel, le porc est devenu plus populaire et meilleur marché. Cette viande excellente a toujours été l'une des grandes ressources de l'alimentation populaire campagnarde dans tous les pays européens et, plus tard, en Amérique. Les cochonnailles restent l'une des principales façons de consommer la viande de porc qui, comme on le répète souvent, "n'a pas de déchets".

Dans l'ensemble, le porc peut être cuit avec les mêmes procédés que le boeuf. Mais, comme toutes les viandes blanches (poulet, veau), il ne doit jamais être

servi saignant. La viande de porc est très grasse, d'où difficile à digérer et fade au goût, si elle n'est pas bien cuite.

Du point de vue gastronomique, il existe une curieuse ressemblance entre la viande de porc et celle du canard, à telle enseigne que certaines recettes classiques du canard (canard Montmorency, à l'orange, etc ...) peuvent être adaptées au porc, avec de délicieux résul-tats. Les sauces aigres-douces ou une garniture de fruits, créent des contrastes et des nuances surprenantes.

Les pommes de terre, bouillies et entières, consti-tuent la meilleure et la plus classique des garnitures de la viande de porc. Tous les choux (blancs, verts, choux de Bruxelles, choux-fleurs) se marient également très bien avec elle. Les châtaignes et les fruits (ananas, pommes, oranges, prunes) forment également un ac-compagnement savoureux et original.

Temps de cuisson des viandes

Trouver la cuisson "à point", cet instant précis où nos illusions et nos efforts peuvent s'achever par un dé-sastre, est un art difficile, une sorte de sixième sens culi-naire que l'on ne peut acquérir qu'avec la pratique. Ce tableau nous montre que toutes les viandes ne sont pas semblables et que certaines demandent plus de temps que d'autres, notamment pour la cuisson au four.

Porc	60 minutes par kilo
Agneau	50 minutes par kilo
Boeuf	40 minutes par kilo
Veau	30 minutes par kilo
Cailles	20 minutes
Perdreaux	20 minutes
Perdrix	30 minutes
Pigeons	45 minutes
Chapon	40 minutes par kilo
Poularde	40 minutes par kilo
Faisan	35 minutes par kilo
Poulet	35 minutes par kilo
Canard	35 minutes par kilo
Dinde	35 minutes par kilo

L'AGNEAU

Aliment rituel des peuples bibliques et de ceux du Moyen-Orient, où il constitue par excellence le mets de toutes les célébrations et de tous les banquets, l'agneau a également ses fervents adeptes dans le monde entier. Sa viande est très grasse, donc particulièrement indiquée pendant les mois d'hiver. L'agneau de lait (c'est-à-dire l'animal de deux à trois mois) donne une viande exquise qui, comme tout autre morceau d'agneau, doit être rôtie au four ou grillée.

LES VOLAILLES

Du point de vue alimentaire et nutritif, les volailles sont considérées comme des viandes. Nous entendons par là que leur qualité essentielle réside dans leur im-portant apport en protéines, en graisses d'origine ani-male, ainsi qu'en substances minérales (calcium, fer) et en vitamines (particulièrement la vitamine B).

En gastronomie, les volailles sont l'une des meil-leures ressources de l'art culinaire. Nous nous éloignons de plus en plus de l'époque, encore proche pourtant, où le poulet était un mets réservé aux grandes occasions: la vulgarisation de cet aliment, de pair avec une détério-ration de sa valeur gastronomique, est l'un des grands événements de l'histoire de l'alimentation humaine.

Nous ne devons pas pour autant effacer radicalement des livres de gastronomie les chapitres réservés aux volailles et encore moins nous en priver, puisque l'on trouve encore sur le marché des volailles élevées selon des méthodes traditionnelles qui permettent de préparer de délicieux plats.

La chair des volailles est très différente selon l'animal: certaines, comme le poulet, sont blanches et faciles à digérer, alors que d'autres (dinde, canard) sont plus grasses, plus foncées et plus indigestes.

Les principales volailles domestiques sont les suivantes:

Chapon. Poulet castré et alimenté au grain, essentiellement dans le but d'obtenir une chair plus fine. Il peut peser jusqu'à quatre kilos et, bien nourri, il constitue un mets exquis.

Poule. Pour des bouillons ou des recettes particulières, une vieille poule pondeuse constitue une viande succulente.

Coq. Sa chair est dure et doit cuire très longtemps, mais sa saveur est excellente.

Canard. Pour que sa chair soit à point, l'animal ne doit pas avoir plus de six mois. Suivez toujours les grandes recettes classiques, car le canard ne se prête pas aux improvisations ou aux erreurs.

Dinde. Les européens ont ramené ce volatile du Mexique et l'ont rapidement domestiqué, tant et si bien qu'il est élevé dans le monde entier. Dans la grande cuisine internationale, les meilleures recettes pour préparer la dinde sont celles qui comportent une farce.

Pintade. C'est une poule africaine, originaire de Guinée et "adoptée" par les cuisiniers européens en raison de sa valeur hautement gastronomique. D'une taille un peu supérieure à celle d'autres poules, son plumage est gris clair ou foncé, moucheté de blanc et, d'après les connaisseurs, sa chair est l'égale de celle du faisan.

Poulet. Nous avons parlé de sa popularité dans l'alimentation moderne. La qualité de sa chair dépend essentiellement de celle de son alimentation. L'emploi d'hormones, très courant dans les élevages industriels,

est largement poursuivi par les autorités sanitaires du monde entier.

Poularde. C'est une poule alimentée au grain, maintenue dans une immobilité absolue sa vie durant. Sa chair est plus fine que celle du chapon.

Parmi les volailles domestiques ou de basse-cour, il faut également inclure le faisan, dont la chair a toujours été estimée comme l'une des meilleures en gastronomie. Si, jadis, il s'agissait presque toujours d'un produit de la chasse, de nos jours, le faisan est élevé industriellement, même si les recettes qui l'utilisent entrent généralement dans la catégorie du gibier.

LE GIBIER

Le gibier constitue l'un des chapitres les plus particuliers de la gastronomie. Il est en effet chargé d'une connotation qui dépasse le cadre de délicieuses recettes, comme celles que présente la section "Gibier" de ce volume. En effet, la cuisine du gibier reste associée à l'un des comportements humains les plus héréditaires et ancestraux. Comportement qui, s'il n'est plus guidé actuellement par la nécessité primaire de s'alimenter ou de s'affirmer devant les bêtes sauvages, reste vivant en tant que sport ou divertissement, ou encore comme prétexte pour retrouver la solitude et le contact avec la nature. L'idéal serait de ne préparer du gibier qu'à l'issue d'une chasse pour se délecter des proies ramenées, et couronner ainsi une agréable journée.

Logiquement, les recettes dépendent totalement des us et coutumes et de la faune locale. Certains gibiers, appréciés dans une contrée, sont méprisés dans une autre sans raison vraiment apparente, et la chasse dans les pays tropicaux diffère énormément de celle des pays tempérés. Dans toute l'Europe, les sangliers, cerfs, lapins de garenne, et lièvres sont les animaux à poils les plus estimés par les chasseurs; parmi les animaux à plumes, citons les canards sauvages, les perdreaux, les cailles, les faisans.

La chair de ces animaux est habituellement plus consistante et sa saveur plus forte que celle des animaux domestiques. Il est presque toujours nécessaire de les faire mariner longuement avant de les cuire. Les herbes aromatiques, les condiments et les sauces sont primordiaux dans les recettes du gibier.

LE REFRIGERATEUR

Omniprésent dans les foyers, le réfrigérateur constitue l'un des meilleurs auxiliaires de la cuisinière ou du cuisinier.

Ceci, tout d'abord, pour des raisons sanitaires. La conservation des aliments est en effet l'une des principales difficultés auxquelles les hommes se sont heurtés depuis l'aube des temps. Au début, ils l'ont résolue en fumant, en salant et en séchant les viandes et les poissons. Toutefois, de par la rapidité avec laquelle ils se décomposent, les aliments périssables sont susceptibles d'engendrer de sérieux accidents de santé, sans parler des pertes financières. Outre la putréfaction des viandes et des poissons qui provoquaient autrefois des intoxications parfois fatales, les aliments frais ne pouvaient pas être consommés pendant de longues périodes de l'année, d'où des avitaminoses et autres carences alimentaires.

Le réfrigérateur a maintenant résolu ces problèmes. La banalité de sa présence dans nos foyers fait oublier qu'il est à l'origine de toute une série de modifications dans les habitudes quotidiennes des ménagères dont il simplifie la vie, en éliminant la corvée de l'achat journalier de denrées alimentaires.

Le congélateur ("freezer" en anglais) n'est pas, en revanche, un appareil qui réjouit particulièrement les gastronomes et les gourmets. Il est trop souvent — pour ne pas dire toujours — utilisé aux dépends de la qualité gastronomique des aliments. Certes, en ce qui concerne l'alimentation de tous les jours, il résout et simplifie nombre de problèmes, notamment pour les mères de famille qui travaillent à l'extérieur et disposent de peu de temps pour préparer les repas. C'est d'ailleurs là que réside la raison de la popularité croissante de cet appareil. Il est donc intéressant de mieux connaître les secrets de son bon usage.

1. L'importance de la température

Du point de vue strictement technique, un congélateur doit pouvoir faire baisser la température d'un certain nombre d'aliments à −18 °C, ceci en moins de vingt-quatre heures, alors que d'autres denrées se trouvent dans le congélateur. La capacité de l'appareil est fonction du modèle, et la quantité d'aliments est toujours spécifiée sur les fiches techniques. Pour que les produits conservent leur valeur nutritive, leur qualité et leur saveur naturelle, la congélation doit avoir lieu rapidement (en vingt-quatre heures maximum).

Selon les normes internationales, un congélateur qui répond à ces caractéristiques porte quatre étoiles dans un endroit visible.

Si le congélateur de votre réfrigérateur ne porte que trois étoiles, cela signifie qu'il ne s'agit pas d'un congélateur au sens strict du terme, mais uniquement d'un compartiment de votre réfrigérateur qui conserve des aliments déjà congelés. Non seulement il est inutile de l'utiliser en pensant qu'il congèle les produits, mais c'est également dangereux, car vous consommerez des aliments mal conservés, en les croyant congelés.

Souvenez-vous que plus la pièce à congeler est grande, plus lente sera la congélation. Ne dépassez jamais le poids recommandé par le fabricant et tâchez de la diviser en plusieurs petites parties.

2. L'importance de l'emballage

Les aliments destinés à être congelés doivent toujours être parfaitement protégés et ce pour deux raisons: d'abord, parce que l'atmosphère dans un congélateur est

sèche, donc susceptible de déshydrater les aliments; ensuite, parce qu'un congélateur contient des aliments divers dont les arômes risquent de se mélanger (imaginez un poulet au goût de colin!)

Avant de congeler une denrée, emballez-la soigneusement dans des matières imperméables à l'humidité et à la vapeur. Aujourd'hui, les plus employées sont les plastiques et le papier d'aluminium. Dans tous les cas, le paquet doit toujours être hermétiquement fermé et scellé. Vérifiez également qu'il ne reste pas de bulles d'air à l'intérieur.

Certains aliments délicats (fruits, tartes, etc) doivent être congelés avant d'être emballés; dans un congélateur parfaitement propre, disposez-les sur une assiette ou un plateau non couvert; ce n'est que lorsqu'ils auront durci que vous les emballerez et les enfermerez dans des récipients adéquats, avant de les remettre au congélateur.

En général, les personnes qui utilisent le congélateur comme ressource principale pour préparer leurs repas (ce qui leur permet de cuisiner des produits très divers pour plusieurs jours) marquent les paquets en indiquant leur contenu, la quantité et la date de congélation. Cette précaution est très utile pour éviter les mauvaises surprises au moment de l'ouverture des emballages.

3.   L'importance de la décongélation

La décongélation des aliments, aussi bien celle de ceux achetés déjà congelés que ceux congelés à la maison, est décisive pour que ceux-ci arrivent dans les meilleures conditions possibles sur la table.

Les aliments précuits, destinés à être mangés froids, doivent être parfaitement décongelés. Otez leur emballage et laissez-les au réfrigérateur ou dans un endroit frais.

Les autres denrées précuites doivent être réchauffées avant d'être présentées à table. Dans ce cas, il est indispensable de les laisser décongeler totalement avant de les réchauffer. Seuls les légumes précuits supportent

d'être réchauffés directement, mais il vaut mieux les laisser décongeler au préalable.

Une règle essentielle, mais qui n'est pas toujours respectée, consiste à décongeler les produits dans le réfrigérateur ou dans un endroit frais. Lorsque vous laissez un aliment décongeler dans la cuisine, à température ambiante, vous risquez de stimuler la prolifération de bactéries pendant la période relativement longue que dure la décongélation. C'est la raison pour laquelle une denrée qui a déjà été congelée ne peut jamais être recongelée.

REMARQUE

Les ingrédients dont la liste figure en tête de chaque recette ont été calculés pour quatre personnes. Néanmoins, dans quelques cas isolés, les quantités indiquées correspondent à un plus grand nombre de convives. En effet, la préparation de certains mets exige que l'on utilise des quantités minimum, en-dessous desquelles on ne saurait confectionner le plat en question. En outre, il est des cas où ces quantités sont déterminées par le volume du morceau à cuisiner et non par le nombre d'invités.

Comment découper, trancher, présenter les viandes

Savoir trancher les viandes et découper les volailles est un aspect essentiel de l'art culinaire.

La première découpe décisive a lieu à la boucherie. Adressez-vous toujours à un bon professionnel qui saura vous conseiller quant à la qualité de la viande la plus adaptée au plat que vous souhaitez préparer.

Une fois cuite, la viande est découpée avant d'être présentée sur la table, de façon à exalter sa saveur et à la rendre appétissante.

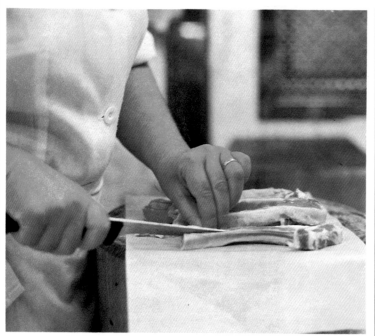

Viandes

Boulettes de viande à la napolitaine

600 grammes de veau haché
200 grammes de gruyère râpé
200 grammes de mie de pain
Quatre oeufs entiers
Un demi-litre de sauce tomate
Un demi-verre de lait
Olives
Farine
Une cuillère à soupe de persil ciselé
Sel et poivre

1. Mélangez la viande hachée, le fromage râpé, la mie de pain trempée dans le lait. Ajoutez les oeufs battus et le persil, salez et poivrez.
2. Moulez les boulettes de viande et roulez-les dans la farine.
3. Faites-les frire dans une grande quantité d'huile bouillante, puis servez-les avec la sauce tomate et les olives.

Terrine de foies de volailles

Un kilo de foies de volailles
Vin de xérès sec
Un quart de litre de crème fraîche
Beurre
Sel et poivre
Gélatine

1. Nettoyez les foies de volailles, dénervez-les et laissez-les mariner dans le xérès pendant six heures au moins. Retirez-les de la marinade sans les essuyer.
2. Dans une casserole, faites fondre le beurre, puis mettez-y les foies à cuire pendant dix minutes environ, tout en remuant de temps à autre. Laissez refroidir.
3. Hachez les foies sans les réduire en bouillie. Gardez quelques morceaux à part. Battez la crème fraîche pour la rendre ferme et mélangez-la à la préparation. Salez et poivrez.
4. Dans une terrine bien beurrée, versez la moitié de la préparation, puis disposez les morceaux gardés entiers. Terminez de verser le reste de la préparation. Laissez refroidir et recouvrez d'une couche de gélatine. Laissez reposer six heures au moins avant de servir.

Rôti aux girolles

700 grammes de viande à rôtir
(veau, porc, etc.)
400 grammes de girolles
300 grammes de bacon
50 grammes de beurre
Thym et laurier
Sel et poivre

1. Faites revenir la viande dans le beurre pendant un quart d'heure, jusqu'à ce qu'elle soit bien dorée.
2. Retirez la viande et, dans la même cocotte, faites fondre le bacon coupé en dés.
3. Lorsque le bacon est bien grillé, ajoutez la viande avec les girolles, le thym et le laurier, puis salez et poivrez. Mouillez avec un verre d'eau. Couvrez et laissez cuire trois quarts d'heure.

Langue de boeuf braisée

Une langue de boeuf

Lard
Beurre
Farine
Deux oignons
Deux carottes
Un quart de litre de vin blanc
Un quart de litre de bouillon
Un bouquet garni
Un hachis d'ail et de persil
Sel et poivre

1. Faites cuire la langue dans de l'eau bouillante avec du sel, pendant une demi-heure. Egouttez-la et ôtez la peau.

2. Bardez-la de lard et saupoudrez avec le hachis d'ail et de persil, salez et poivrez,
3. Roulez légèrement la langue dans la farine et faites-la revenir dans le beurre avec les oignons et les carottes coupées en rondelles. Dégraissez. Ajoutez le vin et laissez réduire de moitié. Versez le bouillon, mettez le bouquet garni, puis salez et poivrez.
4. Couvrez la cocotte et laissez cuire à feu très doux pendant deux heures et demie.

Ajoutez du bouillon si nécessaire.
5. Une fois la cuisson terminée, découpez la langue en tranches et passez le jus de cuisson au chinois avant d'arroser la viande.

15

Viandes

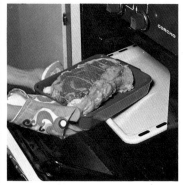

Rôti de veau

Un kilo de veau
Beurre
Sel et poivre

1. Salez et poivrez la viande, et chauffez le four au maximum.
2. Laissez cuire pendant une heure, en retournant la viande pour qu'elle soit bien dorée sur tous les côtés.
3. Eteignez le four et laissez reposer pendant cinq minutes. Faites fondre un peu de beurre

sur la viande. Servez avec une garniture de légumes accompagnée du jus de cuisson.

Tripes à la madrilène

Tripes de veau
Un museau de veau
Une jambe de veau
Un petit morceau d'os de jambon
Un quart de litre de tomates hachées
Chorizo, boudin
Oignons, ail
Farine

Gros sel
Paprika doux
Poivre noir en grains
Piments séchés
Laurier
Huile et sel

1. Faites cuire les tripes dans de l'eau froide salée pendant quelques instants, puis égouttez-les. Mettez-les à nouveau dans de l'eau froide et faites-les cuire avec du gros sel, trois clous de girofle, des piments, une gousse d'ail, une feuille de laurier, du poivre,

l'os de jambon, la jambe et le museau.
2. Lorsque la jambe et le museau sont bien tendres, désossez-les et découpez-les en morceaux, tout comme les tripes. Quand les tripes sont cuites, égouttez-les et gardez le jus.
3. Faites revenir l'oignon haché très fin, les petits chorizos, le boudin et les piments. Lorsque l'oignon commence à dorer, ajoutez l'ail, le paprika et les tomates. Une fois celles-ci bien cuites, versez une cuillère à soupe de farine et mouillez avec le bouillon des tripes, en remuant bien.
4. Laissez cuire un peu et ajoutez les tripes (après leur avoir retiré l'oignon, le poivre et la feuille de laurier). Laissez mijoter trois quarts d'heure sans cesser de remuer.
5. Servez les tripes à même la cocotte, avec le chorizo et le boudin coupés en morceaux.

Blanquette de veau

Un kilo de veau
Une carotte
Un oignon
300 grammes de champignons
Deux jaunes d'oeufs
Une cuillère à soupe de crème fraîche
Un citron
Deux cuillères à soupe de farine
Beurre
Bouquet garni
Sel et poivre

1. Dans une cocotte, mettez la viande avec la carotte coupée en rondelles, l'oignon haché et le bouquet garni; salez et poivrez. Couvrez d'eau, et laissez cuire à feu couvert pendant une demi-heure environ.
2. Retirez la viande et filtrez le bouillon.
3. Dans une petite casserole, laissez fondre le beurre, ajoutez la farine et laissez cuire à feu doux pendant quelques minutes sans cesser de remuer avec la cuillère en bois. Mouillez avec le bouillon et faites cuire encore un peu.
4. Mélangez la sauce blanche à la viande dans la cocotte, en ajoutant les champignons découpés en lamelles. Laissez cuire à feu moyen. Lorsque la viande est bien cuite, battez les jaunes avec la crème et liez la sauce blanche avec cette préparation. Au moment de servir, ajoutez un filet de citron.

Langue de veau aux olives

Une langue de veau
Un hachis d'ail, d'oignon et de persil
75 grammes de beurre ou de margarine végétale
100 grammes d'olives vertes
Un cube de bouillon concentré
Sel et poivre

1. Faites bouillir la viande, pendant une heure et demie, dans une cocotte pleine d'eau, avec le bouillon en cube et du sel.
2. Egouttez la viande, ôtez la peau et découpez-la en tranches.
3. Dans une cocotte, faites fondre du beurre et faites revenir, à feu doux, le hachis d'ail, de persil et d'oignon avec les olives. Ajoutez les tranches de langue et une demi-louche de bouillon chaud. Laissez cuire jusqu'à ce que la langue soit parfaitement cuite à point.

Viandes

Sel et poivre

1. Aplatissez les escalopes afin qu'elles soient toutes de la même taille. Assaisonnez-les de sel et de poivre et déposez sur chacune d'elles une feuille de sauge.
2. Recouvrez chaque escalope d'une tranche de jambon que vous fixerez avec un bâtonnet en bois. Roulez-les légèrement dans la farine.
3. Faites fondre un peu de beurre dans une poêle. Mettez-y les escalopes et faites cuire à feu vif pour dorer les deux côtés.
4. Retirez-les de la poêle, ôtez les bâtonnets et disposez-les dans un plat.
5. Déglacez la poêle avec un peu de vin blanc et faites cuire à feu vif pour que le jus réduise, tout en remuant avec la cuillère en bois. Ajoutez un peu de beurre. Servez les escalopes chaudes dans cette sauce.

Foie de veau à l'orange

Quatre tranches de foie de veau
Un verre de jus de viande ou de bouillon
Beurre
Moutarde
Farine
Deux oranges
Sel et poivre

1. Salez et poivrez les tranches de foie de veau. Badigeonnez-les de moutarde et saupoudrez-les de farine.
2. Dans une poêle, faites fondre du beurre et faites revenir les tranches de foie, quatre minutes environ de chaque côté. Disposez dans un plat.
3. Déglacez la poêle avec le jus ou le bouillon de viande. Ajoutez le jus des deux oranges et laissez épaissir un peu. Versez cette sauce sur les tranches de foie de veau.

Brochettes de viande

500 grammes de viande
25 grammes de jambon (en un morceau)
25 grammes de poitrine ou de bacon
Un poivron
Riz
Vin blanc
Huile

Sel et poivre

1. Coupez la viande, le jambon et la poitrine en dés. Piquez-les sur la brochette en alternant les morceaux.
2. Versez de l'huile dans un plat et placez-y les brochettes après les avoir salées et poivrées. Enfournez en arrosant de temps en temps avec du vin blanc (vous pouvez également les cuire au gril).

3. Servez les brochettes accompagnées de riz cuit avec des poivrons.

Saltimbocca à la romaine

8 escalopes de veau
8 tranches de jambon
Beurre
Farine
Sauge
Vin blanc sec

Viande braisée aux poivrons

Un kilo de viande à braiser
Deux poivrons
Deux oignons
Quatre carottes
Deux gousses d'ail
Vin blanc
Paprika doux
Persil
Huile et sel

1. Coupez la viande en morceaux et assaisonnez-la de sel et de poivre. Faites-la revenir dans une cocotte, avec de l'huile bouillante.
2. Ajoutez ensuite les oignons et les poivrons en morceaux. Laissez cuire, puis ajoutez une cuillère à café de paprika doux.

Enfin, ajoutez les carottes débitées en julienne.
3. Dans le mortier, écrasez les gousses d'ail avec le persil, tout en versant un filet de vin blanc. Versez cette préparation dans la cocotte en ajoutant de l'eau, si nécessaire.

Queue de boeuf

Une queue de boeuf
Maïzena
1/2 litre de bouillon de viande ou d'eau
Vin rouge
Oignon
Quatre clous de girofle
250 grammes de carottes
Trois branches de céleri
Une gousse d'ail
Un bouquet garni

Une boîte de champignons
Un poireau
Un bouquet de persil
Huile, sel et poivre

1. Coupez la queue en morceaux, en la dégraissant. Salez, poivrez, et roulez-la dans un peu de maïzena.
2. Faites revenir la viande dans une cocotte en terre ou un poêlon, jusqu'à ce qu'elle soit dorée.
3. Retirez la viande et versez dans la cocotte le bouillon et le vin. Portez à ébullition et laissez épaissir, sans cesser de remuer. Ajoutez l'oignon piqué des clous de girofle, les carottes coupées en grosses rondelles, le céleri en julienne, l'ail écrasé, enfin la viande, le bouquet garni. Assaisonnez à votre

goût. Laissez cuire à feu lent pendant une heure trois quarts.
4. Ajoutez alors les champignons et le poireau coupé en morceaux. Cuire encore une demi-heure. Ajoutez un peu de maïzena diluée dans de l'eau froide et laissez sur le feu un quart d'heure. Au dernier moment, retirez le bouquet et mettez le persil.
5. Servez très chaud, avec des pommes de terre à l'eau saupoudrées de persil.

Viandes

Escalopes de veau panées

Escalopes de veau
Farine
Beurre ou huile
Un oeuf
Chapelure
Rondelles de citron
Persil haché
Sel et poivre

1. Dégraissez les escalopes et assaisonnez-les. Roulez-les dans de la farine, de l'oeuf battu et de la chapelure.
2. Faites frire la viande des deux côtés, jusqu'à ce qu'elle soit bien dorée. Ensuite, baissez le feu pendant quelques instants pour que la viande soit cuite à point.

3. Epongez l'huile des escalopes avec du papier absorbant et disposez-les dans un plat, décorées d'une rondelle de citron et saupoudrées de persil haché.

Ossobuco

1/2 kilo de veau
Farine
Moutarde en poudre
Beurre
Trois oignons
Carottes
Céleri
Tomates pelées
Un bouquet garni (thym, laurier, persil)
Le jus et le zeste râpé d'un citron
Vin blanc
Concentré de tomates

Huile, sel et poivre

1. Découpez la viande en gros morceaux. Roulez-les dans de la farine salée et poivrée.
2. Faites dorer l'oignon en rondelles dans une grande casserole. Ajoutez la viande, les carottes en julienne, le céleri et les tomates en dés, le bouquet garni, salez et poivrez. Laissez cuire avec l'oignon pendant deux ou trois minutes.
3. Versez le jus du citron et le zeste râpé, le vin blanc et une cuillère à soupe de concentré de tomates délayé avec un peu d'eau. Laissez bouillir à feu doux pendant deux heures.
4. Mettez la viande dans un plat chaud. Retirez le bouquet garni. Passez la sauce dans le chinois, versez-la sur la viande et saupoudrez de persil haché.

Servez avec du riz blanc.

Filet de boeuf en croûte de sel

750 grammes de filet
Deux kilos de sel fin
Quatre pommes de terre
Sauce à l'aïoli

1. Dans un récipient, placez un kilo de sel, mettez la viande par dessus et recouvrez avec le kilo de sel restant. Cuire au four pendant une heure.
2. Faites cuire les pommes de terre au four en "robe des champs", en les enveloppant de papier d'aluminium.
3. Servez le rôti dans sa croûte de sel. Garnissez avec des pommes de terre. Dans une saucière à part, mettez la sauce à l'aïoli.

Viandes

Pot-au-feu de boeuf à la grecque

Un kilo de viande de boeuf
Un kilo de petits oignons
nouveaux
Deux gousses d'ail
Laurier
Huile et vinaigre
Sel et poivre

1. Coupez la viande en
morceaux et assaisonnez-la de
poivre et de sel. Faites-la dorer
dans une casserole avec deux
cuillères à soupe d'huile, puis
ajoutez une tasse d'eau chaude
et deux autres cuillères à soupe
d'huile. Laissez cuire à feu
doux pendant une heure.
2. A part, faites dorer les
petits oignons nettoyés et
entiers dans un peu d'huile.
3. Une fois la viande cuite,
ajoutez-y les petits oignons, les
deux gousses d'ail, une feuille
de laurier et deux cuillères à
soupe de vinaigre. Laissez cuire
une heure encore avant de
servir.

Escalopes fourrées

Quatre escalopes de veau
Quatre tranches de jambon de
Paris
Quatre tranches de gruyère ou
d'émmenthal
Quatre coeurs d'artichauts (en
boîte éventuellement)
Beurre
Vin blanc sec
Bouillon
Sel

1. Aplatissez bien les
escalopes. Recouvrez la moitié
de chacune d'entre elles d'une
tranche de jambon, d'une de
gruyère et d'un coeur
d'artichaut coupé en petits
morceaux. Refermez la moitié
de l'escalope sur cette farce, en
la fixant avec un bâtonnet en
bois.
2. Dans une casserole, faites
fondre du beurre et dorez les
escalopes de chaque côté.
Ajoutez un petit verre de vin
blanc et laissez réduire. Versez
ensuite un peu de bouillon.
3. Couvrez la casserole et
laissez cuire un quart d'heure à
vingt minutes. Servez les
escalopes très chaudes dans
leur jus de cuisson, avec une
garniture de légumes.

Viandes

Ragoût à la noix de coco

800 grammes de viande
Une noix de coco
Trois oignons
Deux gousses d'ail
Trois cuillères à soupe de curry en poudre
Deux cuillères à soupe de sucre roux
Deux citrons
Deux cuillères de rhum
Huile
Sel et poivre

1. Coupez la noix de coco en morceaux et faites-les dorer dans une casserole avec un peu d'huile, sans cesser de remuer.
2. Dans un autre récipient, faites revenir la viande en morceaux avec l'oignon et l'ail hachés et le jus de la noix de coco. Ajoutez le jus des citrons, le rhum, du sel et du poivre. Laissez cuire à feu doux pendant une demi-heure, en surveillant le niveau de la sauce (ajoutez de l'eau si nécessaire).
3. Ensuite, jetez dans la casserole les morceaux de noix de coco préalablement dorés et faites cuire encore un quart d'heure.

Viande à la mexicaine

500 grammes de viande de boeuf en morceaux
250 grammes de tomates
250 grammes de haricots blancs cuits
Beurre
Oignon
Un poivron vert
Deux branches de céleri
Une cuillère à café de piment fort en poudre
Sel

1. Dans du beurre, faites dorer l'oignon haché, le céleri débité en julienne et le poivron coupé en petit morceaux. Laissez bien cuire.
2. Ensuite, ajoutez la viande ainsi que tous les autres ingrédients. Couvrez la casserole et laissez cuire à feu doux pendant quarante minutes. Servez dans un plat avec des haricots mange-tout.

Fondue bourguignonne

Filet de boeuf ou de veau
Huile
Beurre
Sel
Sauces variées

1.   Versez, dans le récipient à fondue, 1 litre d'huile spéciale pour fondue et faites chauffer.
2.   Coupez la viande en petits dés, en prenant soin de la dégraisser si nécessaire.
3.   Chaque convive, à l'aide de la fourchette spéciale prévue à cet effet, plonge un morceau de viande dans l'huile en le laissant cuire à son goût. Sur la table, placez de la moutarde et des sauces variées (tartare, béarnaise, aux câpres, etc...)

Paupiettes de veau au persil et aux pommes

Viande de veau hachée
Lard maigre
Un oignon
Deux pommes
Chapelure
Un oeuf entier
Persil haché
Huile
Sel et poivre

1.   Hachez le lard en petits morceaux et ajoutez-le à la viande. Disposez ce mélange sur une feuille d'aluminium, en lui donnant la forme d'un rectangle épais d'un centimètre environ.
2.   Faites une farce avec la pomme, l'oignon haché, la chapelure, le persil, l'oeuf entier. Salez et poivrez.
3.   A l'aide d'une spatule, étendez cette farce sur le rectangle de viande hachée. Avec le papier d'aluminium, faites un roulé comme pour une bûche de Noël.
4.   Placez dans un plat huilé et cuisez pendant trois quarts d'heure à four moyen. Retirez le papier d'aluminium et mouillez la préparation avec son propre jus. Vous pouvez servir chaud ou froid, garni de légumes, ou avec une salade.

Viandes

Goulash

*500 grammes de viande en
morceaux*
250 grammes d'oignons
*Un bouquet garni (thym, laurier
et persil)*
Beurre
Paprika
Cumin
Bouillon en cube
100 grammes de tomates
230 grammes de riz
Crème de lait ou yaourt

1. Faites revenir la viande
dans du beurre. Ajoutez
l'oignon en rondelles et laissez
cuire jusqu'à ce que tout soit
bien doré.
2. Ajoutez le bouquet garni,
deux cuillères à soupe de
paprika, du sel et du poivre,
une pincée de cumin en poudre

et la tomate pelée; laissez cuire
à feu doux pendant une demi-
heure. Ajoutez un peu de
bouillon au fur et à mesure que
la préparation se déssèche.
3. Ajoutez le riz cuit et un
peu de tomate. Maintenir à feu
doux durant une heure encore,
jusqu'à ce que la viande soit
très tendre.
4. Avant de servir, ajoutez un
peu de crème de lait ou de
yaourt et saupoudrez de persil.
Servez très chaud.

Ragoût de boeuf

*Un kilo de viande maigre en
morceaux*
100 grammes de poitrine
*500 grammes de pommes de
terre nouvelles*
12 petits oignons
Un gros oignon

Deux tomates
Une carotte
Un bouquet garni
Une gousse d'ail
Vin vieux
Farine
Persil haché
Poivre et sel

1. Faites dorer la poitrine
dans une casserole avec de la
graisse de porc, puis retirez-la.
Faites revenir la viande
assaisonnée. Ajoutez l'oignon
haché, les carottes en rondelles,
les herbes, la gousse d'ail, et
faites revenir le tout. Ajoutez
la tomate en morceaux puis,
cinq minutes après, versez le
vin. Couvrez et laissez réduire.
2. Ensuite, saupoudrez le
ragoût avec de la farine et
laissez cuire. Recouvrez avec

de l'eau chaude et faites cuire à
feu vif quelques instants.
Mettez le couvercle en
maintenant une ébullition à feu
doux.
3. Entre-temps, faites bouillir
les pommes de terre et les
petits oignons pendant cinq
minutes, puis faites-les dorer
dans la poêle.
4. Lorsque la viande est à
moitié cuite, transvasez chaque
morceau dans une autre cocotte
en terre. Réduisez la sauce de
la cuisson en purée et ajoutez-
la à la viande; versez les
pommes de terre et les petits
oignons ainsi que la poitrine. Si
la viande n'est pas recouverte
de sauce, ajoutez un peu d'eau.
Portez à feu vif, en maintenant
l'ébullition. Avant de servir,
saupoudrez de persil haché.

Ragoût de boeuf à la bière

Quatre gros morceaux de boeuf
à braiser
Trois carottes
Deux poireaux
Deux oignons
Trois branches de céleri
Deux gousses d'ail
Cinq tomates
Un litre de bière genre Pils
Farine
Laurier
Une branche de thym
Huile d'olive ou beurre
Sel et poivre

1. Coupez les légumes en julienne et faites-les revenir dans du beurre ou de l'huile chaude. Couvrez et laissez cuire à feu doux.
2. Roulez les morceaux de viande dans de la farine et faites-les dorer dans de l'huile ou du beurre.
3. Versez les légumes dans

une cocotte et ajoutez la viande bien dorée le laurier, le thym, sel et poivre.
4. Versez la bière pour qu'elle recouvre la viande et laissez cuire trois quarts d'heure à feu couvert. Servez avec du riz.

Rôti de porc

Un kilo de rôti de porc
Deux gousses d'ail
Clou de girofle
Romarin

Poivre en grains moulu
Huile et sel

1. Faites des entailles dans la viande et insérez-y les gousses d'ail coupées en quatre, quelques feuilles de romarin et deux ou trois clous de girofle. Ficelez le rôti, puis salez et poivrez.
2. Enduisez la viande avec de l'huile et placez-la dans une casserole préalablement graissée. Laissez cuire un peu plus d'une heure, à feu moyen,

en retournant le rôti pour qu'il dore bien de tous les côtés et en arrossant de temps à autre avec le jus de cuisson.
3. Une fois cuit, retirez la ficelle et découpez le rôti en tranches. Servez-le, chaud ou froid, avec une garniture de légumes bouillis.

Viandes

Rosbif

Un kilo de rôti de boeuf
Sel et poivre
Beurre ou huile
Une petite tasse de bouillon

1. Préparez la viande en la bardant et en la ficelant. Préchauffez le four au maximum pendant vingt minutes, enfournez la viande et faites cuire cinquante minutes à four modéré.
2. Eteignez le four et laissez reposer dix minutes.
3. Découpez la viande et servez-la dans un plat, avec une garniture de légumes. Présentez la sauce à part dans une saucière.

Rôti de veau lardé

Un rôti de veau
Poitrine fumée
Un oignon
Deux tomates
Une carotte
Un verre de vin blanc
Farine
Ail
Beurre ou huile
Sel et poivre

1. Lardez le rôti et assaisonnez-le de sel et de poivre. Coupez la poitrine fumée en tranches fines.
2. Mettez la viande dans un plat réfractaire beurré, et enfournez-la dans le four très chaud. La laisser cuire jusqu'à ce qu'elle soit dorée sur tous les côtés.
3. Ajoutez les tomates pelées et l'oignon, la carotte et l'ail hachés. Laissez cuire une heure, en arrosant la viande de temps à autre.
4. Retirez le rôti et versez le vin dans le jus de cuisson. Faites cuire quelques instants. Ajoutez un peu de farine diluée dans de l'eau ou du bouillon froid. Cuisez cette sauce encore cinq minutes.
5. Servez dans un plat avec une garniture de légumes bouillis. Arrosez la viande avec un peu de sauce. Versez le reste dans une saucière à part.

Viandes

Escalopes farcies aux olives

Deux escalopes épaisses
Quatre oeufs durs
400 grammes d'olives vertes
200 grammes de jambon cuit
Deux poivrons verts
Un demi-litre de vin blanc sec
Sel et poivre

1. Coupez chaque escalope dans le sens de la longueur pour former une poche. Assaisonnez de sel et poivre.
2. Ecrasez les oeufs durs. Coupez le jambon en petits morceaux. Retirez les graines des poivrons et découpez-les en morceaux. Farcissez les escalopes de ces ingrédients.
3. Cousez les escalopes avec du fil de cuisine, faites-les bien dorer dans une casserole avec de l'huile chaude. Arrosez de vin blanc et d'un demi-verre d'eau. Laissez cuire à feu doux pendant une demi-heure. Ajoutez alors les olives et continuez la cuisson encore trente minutes. Servez la viande entourée d'olives.

Rosbif en croûte de sel

800 grammes de filet de boeuf
en un morceau
Trois kilos de gros sel

1. Utilisez une casserole étroite et à bords hauts. Versez au fond un kilo de sel. Déposez-y la viande et recouvrez-la avec les deux kilos de sel restants.
2. Préchauffez le four au maximum. Enfournez la casserole, couverte, pendant trois quarts d'heure.
3. Une fois la cuisson terminée, sortez le rosbif et détachez la croûte de sel formée autour du rosbif (avec un marteau à viande, si nécessaire). Nettoyez les restes de sel au pinceau. Servez le rosbif froid ou chaud, découpé en tranches.

Viandes

Tripes au cidre

600 grammes de tripes
Deux oignons
Quatre carottes
Une bouteille de cidre
Un verre de calvados
Thym et laurier
Huile
Sel et poivre

1. Nettoyez bien les tripes, coupez-les en morceaux et faites-les cuire pendant trois quarts d'heure à la cocotte minute (à partir du moment où la soupape commence à tourner et à siffler).
2. Faites revenir l'oignon dans l'huile chaude, ajoutez les carottes en julienne et les tripes déjà cuites. Arrosez avec le calvados, puis laissez cuire cinq minutes en remuant avec la cuillère en bois.
3. Versez le cidre et ajoutez le thym et le laurier. Assaisonnez de sel et de poivre, couvrez, et laissez cuire une demi-heure. Servez avec des pommes de terre cuites à la vapeur.

Côtes de veau à l'ail et aux anchois

Quatre côtes de veau
Une gousse d'ail
Noix
Anchois
Huile, sel et poivre
Vinaigre
Pommes de terre frites

1. Préparez les côtes de veau avec du sel, du poivre et quelques gouttes d'huile. Laissez macérer quelques minutes.
2. Déposez les côtes sur le gril déjà chaud. Enduisez-les avec de l'huile et retournez-les. Diminuez le feu et laissez cuire un peu.
3. Entre-temps, écrasez l'ail avec quelques noix et trois anchois; ajoutez trois gouttes de vinaigre. Ensuite, ajoutez l'huile comme pour une mayonnaise.
4. Placez les côtes sur un plat chaud et versez la sauce dessus. Servez-les accompagnées de pommes de terre frites.

Viandes

Ris de veau aux champignons

*Deux ris de veau de taille
moyenne
150 grammes de champignons
Un verre de vin blanc
Deux verres de bouillon
Un petit verre de Madère
100 grammes de crème fraîche
Deux jaunes d'oeufs
Un citron
Beurre
Thym
Sel et poivre*

1.   Coupez les ris de veau en
gros morceaux. Coupez les
champignons en lamelles et
faites-les revenir dans du
beurre.
2.   Ensuite, ajoutez les ris de
veau en essayant de les faire
revenir de tous les côtés.
Arrosez avec le vin, le Madère,
et ajoutez un peu de thym, de
sel et de poivre. Laissez cuire
une demi-heure.
3.   Ce temps passé, prenez
quelques cuillères de jus de
cuisson pour diluer les jaunes
d'oeufs. Versez le mélange
dans la casserole et mélangez
sur le feu doux pour lier la
sauce. Ajoutez alors la crème
fraîche et le jus de citron et
servez immédiatement.

Steak tartare

*600 grammes de bifteck haché
Quatre oeufs
Oignons
Câpres
Persil haché
Worcestershire sauce (ou
ketchup)
Sel, poivre et moutarde*

1.   Au centre de chaque
assiette, modelez la viande
hachée pour lui donner une
forme arrondie, et creusez un
trou au centre.
2.   Placez le jaune d'oeuf dans
ce creux.
3.   Disposez autour de la
viande, ou sur des assiettes à
part des oignons hachés, le
persil, la moutarde, l'huile, la
sauce Worcestershire ou le
ketchup, les câpres, le sel et le
poivre.

Viandes

Rognons au xérès

Un rognon de boeuf
Beurre
Deux échalottes
Une cuillère de farine
Un verre de xérès
Thym et laurier
Sel et poivre

1. Coupez le rognon en morceaux et faites-le revenir rapidement dans le beurre.
2. A part, faites revenir les échalottes, ajoutez un peu de farine, et arrosez de xérès. Laissez mijoter, sans cesser de remuer, puis versez un verre d'eau et ajoutez le thym, le laurier, le sel et le poivre.
3. Laissez cuire un quart d'heure à feu doux et versez cette sauce sur les rognons. Dès les premiers bouillons, retirez du feu et servez immédiatement.

Bifteck "Maître d'Hôtel"

Quatre biftecks
Beurre ou huile
Tomates
Cresson
Pommes de terre
Laitue
Beurre
Jus de citron
Persil

1. Enduisez les biftecks d'huile ou de beurre et saisissez-les à feu vif. Retournez la viande sans la piquer. Cuissez-la à votre goût, bleue ou très cuite.
2. Coupez le cresson, la laitue et les tomates. Préparez des pommes de terre frites et présentez le tout comme garniture.
3. Maniez le beurre, le persil bien haché et le jus de citron. Ornez chaque bifteck d'un carré de beurre manié, avant de les servir.

Cervelles à la sauce de courgettes

Cervelles de veau
Deux oeufs
Un petit oignon
Une courgette
Une gousse d'ail
Vin blanc
Farine
Bouillon
Huile, sel

1. Lavez et cuisez la cervelle avec de l'eau froide, un morceau d'oignon, du persil, une gousse d'ail, un peu de vin blanc et quelques gouttes de vinaigre. Laissez bouillir un quart d'heure à vingt minutes, puis égouttez. Couvrez d'un linge pour qu'elles ne noircissent pas.
2. Hachez de l'ail et de l'oignon, pelez et coupez la courgette en très petits dés, et faites revenir le tout à feu doux.
3. Roulez la cervelle coupée en morceaux dans la farine et l'oeuf battu, en mettant un jaune à part. Faites frire la cervelle dans de l'huile chaude et gardez-la au chaud.
4. Ajoutez une cuillère de farine au hachis de courgette déjà frit et laissez mijoter après avoir ajouté une grande tasse de bouillon. Assaisonnez à votre goût et faites cuire vingt minutes. Battez le jaune d'oeuf restant et versez-le dans la sauce pour la lier. Nappez la cervelle de sauce et servez bien chaud.

Foie aux oignons

500 grammes de foie coupé en tranches
Deux oignons
Beurre
Farine
Sel et poivre

1. Coupez les oignons en fines rondelles et faites-les fondre très lentement dans le beurre, sans les laisser dorer. Salez.
2. Roulez les tranches de foie dans un peu de farine et faites-les cuire quelques minutes à feu vif, dans une autre poêle avec

du beurre.
3. Disposez le foie cuit et doré dans un plat, salez et servez-le avec les oignons cuits et disposés en forme de couronne autour du plat.

Galantine de porc

Un kilo de rôti de porc
Deux blancs de poulet
100 grammes de jambon de Paris
Trois saucisses
Un verre de xérès
Un oeuf
1/2 litre de lait
Beurre
Sel et poivre

1. Evidez le rôti de porc avec un couteau pour former un cylindre.
2. Hachez la viande retirée du rôti, les blancs de poulet, le jambon et les saucisses. Ajoutez l'oeuf battu, le verre de xérès, du sel et du poivre.
3. Remplissez le cylindre de cette farce et cousez les deux extrémités.
4. Dans une casserole, dans laquelle vous aurez fait fondre du beurre, faites dorer le rôti farci. Lorsqu'il est bien doré de tous côtés, ajoutez le lait, couvrez et laissez cuire à feu doux pendant une demi-heure. Faites refroidir au réfrigérateur et servez découpé en tranches fines.

Viandes

Côtes de porc panées, sauce béchamel

Quatre côtes de porc
Deux oeufs
Trois cuillères à soupe de farine
1/4 de litre de béchamel
Chapelure
Estragon
Huile
Sel et poivre

1. Salez et poivrez les côtes de porc et roulez-les dans la farine, l'oeuf battu et la chapelure.
2. Faites-les frire dans beaucoup d'huile bouillante.
3. Préparez une sauce béchamel à laquelle vous ajouterez une grosse pincée d'estragon ciselé. Servez les côtes de porc nappées de sauce béchamel.

Porc à la sauce aigre-douce

750 grammes de viande de porc maigre
Deux gousses d'ail
Un verre de xérès sec
Trois cuillères à soupe de sauce de soja
Pour la sauce:
Une boîte 4/4 d'ananas
Deux carottes
Un poivron vert
Maïzena
Sauce de soja
Huile et vinaigre

1. Coupez la viande en petits morceaux et laissez macérer pendant une heure avec la gousse d'ail, le xérès et les trois cuillères à soupe de sauce de soja.
2. Faites frire les morceaux de viande dans de l'huile.
3. Pour préparer la sauce, faites cuire les carottes et le poivron coupés en petits morceaux dans le jus de l'ananas auquel vous aurez ajouté un peu d'eau. Délayez un peu de maïzena avec du vinaigre et ajoutez ce mélange à la préparation. Remuez bien pour eviter les grumeaux, puis ajoutez l'ananas coupé en morceaux.
4. Versez la viande et la sauce dans une casserole, portez à ébullition et arrêtez la cuisson dès les premiers bouillons.

Rôti de porc au lait

Un kilo de rôti de porc
Deux oignons
Quatre carottes
Beurre
Persil haché
Un litre de lait entier
Thym et laurier
Sel et poivre

1. Faites dorer la viande dans un peu de beurre.

2. Ensuite, ajoutez l'oignon haché, les carottes coupées en rondelles, le thym, le laurier, le sel et le poivre, puis laissez cuire dix minutes.

3. Ajoutez alors le lait et une cuillère à soupe de persil haché. Couvrez et laissez cuire à feu très doux pendant deux heures.

Côtes de porc aux pruneaux

Quatre côtes de porc

350 grammes de pruneaux
Vin rouge
Sucre
Cannelle
Maïzena
Un kilo de petites pommes de terre
Graisse de porc
Persil
Huile, sel et poivre

1. Laissez gonfler les pruneaux pendant une demi-heure et égouttez-les. Mettez-les dans une casserole avec un verre de vin rouge, un peu de cannelle et deux cuillères à soupe de sucre. Couvrez d'eau et laissez cuire à feu doux une demi-heure.

2. Préparez les côtes avec du sel et du poivre, une heure avant de les frire.

3. Pelez les pommes de terre et faites-les dorer dans la graisse de porc, à feu doux. Salez-les et saupoudrez de persil haché.

4. Faites frire les côtes à feu moyen, six minutes environ de chaque côté. Disposez-les sur un plat et servez-les entourées des pommes de terre et des pruneaux.

5. Préparez une sauce avec le jus de cuisson des pruneaux: ajoutez-y une cuillère à soupe de maïzena diluée dans un peu d'eau et portez à ébullition, en remuant jusqu'à ce que la sauce épaississe. Servez à part dans une saucière.

Viandes

Laurier

1. Enduisez le cochon de lait à l'intérieur et à l'extérieur avec la graisse de porc, puis salez et poivrez. Disposez-le dans un plat allant au four ou dans un plat en terre sur un fond de brindilles de laurier sans feuilles. Versez 1/2 litre de vin blanc et faites cuire à four moyen. La cuisson doit être lente, pendant deux ou trois heures; arrosez la viande régulièrement avec son jus. Enveloppez les oreilles dans du papier d'aluminium pour qu'elles ne brûlent pas.

2. Lorsque le cochon de lait est bien doré d'un côté, retournez-le. Piquez la peau avec une aiguille pour percer les cloques. Une fois rôti, mettez-le dans un plat.

3. Utilisez le jus de cuisson pour faire la sauce. Dégraissez-la, puis ajoutez un demi-litre de bouillon ou d'eau, et laissez bouillir dix minutes. Passez au chinois sur une casserole. Ensuite, réduisez les amandes en poudre avec le pain grillé et le foie du cochon de lait pour former une pâte très fine que vous mélangerez au jus de cuisson dégraissé. Ajoutez du sucre, une pincée de poivre et un peu de cannelle, puis laissez bouillir deux à trois minutes en versant le jus du citron à la fin. Cette sauce sucrée est servie à part dans une saucière pour accompagner le cochon de lait rôti.

Tranches de rôti de porc au gruyère

Huit fines tranches de rôti de porc
Quatre tranches de gruyère
Un oeuf
Chapelure
Huile et sel

1. Aplatissez bien les tranches de rôti et glissez une tranche de gruyère entre deux tranches de rôti.

2. Roulez-les dans l'oeuf battu et la chapelure.

3. Faites frire dans une poêle avec beaucoup d'huile très chaude et servez avec une purée de pommes de terre.

Jambonneau aux carottes

Un jambonneau
Un kilo de carottes
Ciboulette
Beurre
Sel et poivre

1. Cuisez le jambonneau dans de l'eau salée pendant une heure.

2. Ajoutez ensuite les carottes et n'ajoutez du sel que si nécessaire. Poivrez. Laissez cuire jusqu'à ce que les carottes soient tendres.

3. Retirez les carottes, égouttez-les et faites-les revenir dans du beurre. Ajoutez un peu de ciboulette ciselée.

4. Avant de servir, passez le jambonneau quelques minutes au four préchauffé au maximum.

Cochon de lait rôti

Un cochon de lait de trois semaines
Graisse de porc ou beurre
Deux gousses d'ail
Vin blanc
Sucre en poudre
Amandes grillées émondées
Pain grillé
Un citron
Cannelle en poudre
Sel et poivre moulu

Epaule de porc aux haricots rouges

Un kilo d'épaule de porc
300 grammes de haricots rouges secs
Un verre de vin blanc
Un piment fort
Deux cuillères à soupe de moutarde
Thym et laurier
Sel et poivre

1. Laissez tremper les haricots pendant la nuit dans de l'eau froide avec du thym, du laurier et du sel.
2. Faites-les cuire dans de l'eau froide salée avec du thym, du laurier et le piment, jusqu'à ce qu'elles soient tendres (environ une heure).
3. Enduisez la viande de moutarde et poivrez-la. Mettez-la dans un plat allant au four, faites cuire au four préchauffé au maximum durant vingt minutes. Ajoutez alors le verre de vin blanc et un verre d'eau.

Arrosez pendant la cuisson pour obtenir une bonne sauce. Laissez cuire jusqu'à ce que la viande soit cuite à point et servez-la entourée des haricots, avec la sauce dans une saucière à part.

Rôti tropical

Un kilo de rôti de porc
Jus d'oranges
Deux citrons
Vin blanc
Bouillon ou eau
Écorce d'orange
Sucre

Sel et poivre
Cointreau

1. Ficelez le rôti, puis salez et poivrez. Faites-le revenir dans une cocotte avec de l'huile chaude jusqu'à ce qu'il soit bien doré. Arrosez d'un verre de vin. Dès les premiers bouillons, versez un verre de jus d'oranges, le jus d'un citron et un verre de bouillon ou d'eau. Couvrez la cocotte et laissez cuire une demi-heure.
2. Retirez la viande et attendez que la sauce

refroidisse. Dégraissez-la et faites-la cuire avec un verre de jus d'oranges, le jus d'un citron et deux cuillères à soupe de sucre caramélisé.
3. Coupez l'écorce de l'orange en julienne et blanchissez-la à l'eau pendant un quart d'heure. Ensuite, ajoutez-la à la sauce, versez un filet de Cointreau, puis laissez cuire encore quelques instants.
4. Découpez le rôti en tranches fines et nappez-le de sauce.

Viandes

Jambonneau aux choux de Bruxelles

1 jambonneau
5 kilos de choux de Bruxelles
Sel et poivre

1. Frottez la viande avec du sel fin. Embrochez-la et faites-la cuire à la braise ardente, en surveillant la cuisson pour qu'elle cuise partout (vingt minutes par livre).
2. En cuisant, la viande perd beaucoup de jus, même si au début il s'agit surtout de graisse. Recueillez le jus de la viande en fin de cuisson.
3. Cuisez les choux de Bruxelles dans de l'eau bouillante. Otez-les du feu et ajoutez le jus de cuisson.
4. Servez la viande découpée dans un grand plateau, entourée des choux de Bruxelles.

Côtes de porc panées

Quatre côtes de porc
Quatre pommes
Chapelure
Moutarde
Une cuillerée de curry en poudre
Huile, sel et poivre

1. Grillez les côtes déjà salées et poivrées, sur le gril ou au barbecue, pendant dix minutes.
2. Retirez-les du feu et roulez-les dans la chapelure mélangée avec le curry et la moutarde. Remettez-les sur le gril dix minutes.
3. Avec une cuillère, retirez le coeur des pommes, faites quelques incisions sur la peau et enveloppez-les dans du papier d'aluminium. Faites-les griller sur le même gril.
4. Servez les côtes dans un plat, entourées des pommes rôties. Vous pouvez les servir également avec des pommes de terre cuites au barbecue ou au gril, avec une sauce chaude de votre choix.

Saucisses aux champignons

Quatre saucisses
250 grammes de champignons
Un kilo de pommes de terre
Graisse de porc
Persil haché
Sel et poivre

1. Pelez les pommes de terre et cuisez-les dans l'eau.
2. Faites frire les saucisses avec un peu de graisse de porc.
3. Retirez les saucisses et faites revenir les champignons coupés en morceaux avec du sel et du poivre.
4. Servez le tout dans le même plat et saupoudrez de persil.

Tête d'agneau rôtie

Deux têtes d'agneau
200 grammes de viande de porc maigre et haché

Graisse de porc
Un oeuf
Une gousse d'ail
Piment doux en poudre
Vin blanc
Un citron
Persil
Bouillon
Sel

1. Coupez les têtes en deux, lavez-les bien à l'eau froide et séchez-les avec un torchon. Salez légèrement et arrosez-les d'un jus de citron.

2. Faites frire la viande de porc hachée, dans la graisse de porc. Salez, ajoutez l'ail et le persil hachés, ainsi que le piment doux en poudre. Mélangez à l'oeuf battu pour lier la pâte.
3. Farcissez de cette pâte les demi-têtes d'agneau.
4. Joignez les deux moitiés pour reformer les têtes. Enveloppez-les chacune dans du papier d'aluminium, avec un filet de citron, et liez-les avec du fil de cuisine pour qu'elles

ne se défassent pas.
5. Mettez-les dans la cocotte ou dans une casserole et arrosez de vin et d'un peu de bouillon. Ajoutez un peu de graisse et rôtissez à four modéré pendant une heure, en les arrosant de temps à autre avec le jus de cuisson.
6. Saupoudrez d'ail et de persil hachés et servez en sauce, avec des légumes variés.

Viandes

Gigot de cabri aux choux de Bruxelles

Un gigot de cabri
Deux kilos de choux de
Bruxelles
Trois oignons
Trois carottes
Deux gousses d'ail
Un litre de vinaigre
Huile
Beurre
100 grammes de gelée de
groseilles
Sel et poivre

1. La veille, faites revenir dans l'huile les oignons, les carottes et l'ail coupés en rondelles. Ajoutez le vinaigre et laissez bouillir un peu. Laissez refroidir et mettez le gigot à mariner dans cette préparation.
2. Mettez le gigot dans un grand plat allant au four et versez dessus la marinade (ajoutez, si vous le désirez, des oignons et des carottes

fraîches). Laissez cuire au four jusqu'à ce que la viande soit à point.
3. Nettoyez les choux de Bruxelles et faites-les cuire dans beaucoup d'eau salée. Une fois cuits, faites-les revenir un peu dans du beurre.
4. Le gigot cuit, retirez-le du four et réduisez les légumes en purée. Versez la purée dans une casserole et ajoutez la gelée de groseilles. Chauffez pour qu'elle fonde et poivrez généreusement. Servez le gigot

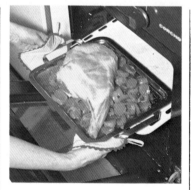

entouré des choux de Bruxelles et la sauce à part.

Pieds de porc

Pieds de porc
Pommes de terre cuites à la
vapeur
Beurre
Chapelure
Un citron
Poivre moulu
Huile et sel
Laurier
Poivre en grains
Oignons
Carottes

Thym, romarin, céleri
Rondelles de citron

1. Faites cuire les pieds de porc dans un litre d'eau avec du laurier, du poivre en grains, les oignons, le céleri, les carottes, le thym, le romarin, les rondelles de citron et du sel.
2. Laissez refroidir. Saupoudrez de sel et de poivre, puis roulez dans du beurre fondu et de la chapelure.
3. Faites rôtir 10 min. au four bien chaud, en retournant régulièrement pour qu'ils soient bien dorés.

Gigot d'agneau farci

Un gigot d'agneau
1/4 de litre de bouillon
Beurre
Quatre échalottes
Quatre gousses d'ail
Persil haché
Sel et poivre

1. Désossez le gigot, en ne laissant qu'un manche. Coupez-le en deux pour introduire la farce.

2. Faites ramollir le beurre, et maniez-le avez l'ail et les échalottes hachées. Salez, poivrez et ajoutez du persil haché.

3. Farcissez le gigot de ce beurre et cousez-le avec du fil de cuisine en veillant à bien le refermer.

4. Disposez le gigot dans un grand plat allant au four et arrosez-le avec le bouillon. Laissez cuire à four chaud pendant quarante minutes.

Gigot de mouton aux haricots

Un gigot de mouton
250 grammes de haricots blancs cuits
Deux oignons
Carottes
Graisse de porc
1/2 litre de bouillon (ou eau)
Sel et poivre
Persil haché

1. Désossez le gigot, salez, poivrez et ficelez-le.

2. Faites-le revenir dans une cocotte avec de la graisse de porc, pour qu'il dore bien de chaque côté. Ajoutez l'oignon et la carotte, coupés en grosses rondelles. Faites revenir jusqu'à ce que les légumes soient bien dorés.

3. Ajoutez le bouillon (ou l'eau). Couvrez la cocotte et mettez à four moyen jusqu'à ce que la viande soit tendre.

4. Une demi-heure avant la fin de la cuisson, ajoutez les haricots. Servez dans un plat chaud et saupoudrez de persil haché.

L'homme n'est pas simplement un animal carnívore, mais la viande, sous ses différents aspects, est l'une de ses faiblesses. Les oiseaux et les quadrupèdes nourrissent à la fois son organisme et son imagination vagabonde.

Sophocle, le gran dramaturge grec, fait apparaître dans l'une de ses tragédies un vol de dindons pleurant la mort du héros Mélégra. Dans la culture aztèque, les hommes volants exécutaient leur vol fantastique vêtus comme des oiseaux, pour favoriser la chasse. Leur repas principal se composait en effet de viande et de gibier. Néanmoins, ils n'en consommaient qu'une fois par jour, pendant le dîner qui avait lieu vers 17 heures. Le plat que préféraint les incas était un ragoût appelé "locro", fait de viande de lama séchée au soleil et de pommes de terre en poudre (recette particulière, du nom de "chunu").

Le gibier a toujours eu ses grans sybarites. En effet, c'est une viande extrêmement savoureuse. Charles Quint, le grand empereur, dans sa retraite au monatère de Yuste et en dépit de ses habitudes ascétiques, appréciait tant les délicieux oiseaux qu'il ne pouvait s'en passer; il se faisait apporter perdreaux, palombes, canards, cailles, etc., de la province de Ciudad Real en Castille, considérée alors comme la plus peuplée en gibier.

Consommée en proportions raisonnables, la viande est l'un de nos aliments essentiels; mais il est indispensable de l'accompagner d'une bonne garniture de légumes verts pour qu'elle soit mieux assimilée par notre organisme.

Viandes

Gigot d'agneau au fromage

Un gigot d'un kilo
250 grammes de carottes
10 petits oignons
Une cuillère à soupe
de lait
Vin blanc
250 grammes de fromage frais
Deux gousses d'ail
Persil
Huile et sel

1. Désossez le gigot, assaisonnez-le de sel et de poivre et laissez-le reposer un bon moment.
2. Faites tremper la mie de pain dans le lait et égouttez-la. Mélangez-la ensuite au fromage frais et un peu de persil haché.
3. Farcissez la viande de ce mélange et cousez-la avec du fil de cuisine pour qu'elle garde sa forme. Faites revenir le gigot dans une cocotte et, lorsqu'il est doré, arrosez-le de vin blanc. Ajoutez ensuite les carottes en morceaux. Couvrez la cocotte et faites cuire à feu doux.
4. Entre temps, faites revenir les petits oignons à part. A mi-cuisson du gigot, ajoutez-les avec un peu d'eau. Laissez terminer la cuisson jusqu'à ce que la viande soit bien tendre.
5. Une fois cuite, mettez la viande dans un plat et laissez-la refroidir. Coupez des tranches et disposez-les de sorte que la viande garde sa forme de gigot. Servez avec les carottes et les petits oignons et versez la sauce très chaude dans un récipient à part.

Côtelettes d'agneau Villeroy

Huit côtelettes d'agneau
Sauce béchamel
Huile et sel
Un oeuf
Chapelure

Sauce tomate

1. Faites sauter ou griller les côtelettes. Epongez bien l'huile avec du papier absorbant.
2. Nappez les côtelettes de chaque côté avec de la béchamel. Laissez-les refroidir, puis roulez-les dans l'oeuf battu et la chapelure.
3. Faites frire dans de l'huile bien chaude. Servez très chaud avec la sauce tomate.

Agneau de lait rôti

Un agneau de lait
Carotte
Oignon
Huile, sel et poivre

1. Assaisonnez bien l'agneau à l'extérieur et à l'intérieur avec du sel et du poivre. Enveloppez les oreilles dans du papier d'aluminium.
2. Dans le four au maximum, mettez l'agneau à rôtir en l'arrosant d'huile et en disposant dessus quelques morceaux de beurre. Arrosez-le régulièrement. Diminuez la température et laissez rôtir ainsi pendant 2 h 30.
3. Coupez l'oignon et la carotte en gros morceaux. Ajoutez-les au rôti une demi-heure avant la fin de la cuisson.
4. Sortez l'agneau du four et retirez le papier d'aluminium. Servez accompagné du jus de cuisson servi dans une saucière à part.

Faisan à la normande

Un faisan
Bouillon
Fromage frais type feta
Deux cuillères à soupe de calvados
150 grammes de crème fraîche
Cognac
Une carotte
Un poireau
Un jaune d'oeuf
Un oignon
Beurre
Sel et poivre

1. Pelez les légumes et coupez-les en petits morceaux. Faites-les revenir dans beaucoup de beurre.
2. Ecrasez le fromage avec une fourchette et ajoutez une cuillère de crème fraîche et deux cuillères de calvados.
3. Farcissez le faisan de ce mélange et cousez pour refermer. Faites-le dorer dans la cocotte ou cuisent les légumes. Versez le cognac et flambez. Ajoutez ensuite un verre de bouillon et couvrez pour continuer la cuisson.
4. Un fois le faisan cuit, retirez-le de la cocotte, réduisez les légumes en purée avec le jus de cuisson, et liez avec un jaune d'oeuf et un peu de crème fraîche. Servez le faisan nappé de cette sauce.

Faisan truffé

Un faisan
Une petite boîte de truffes
Poitrine de porc en tranches très fines
150 grammes de viande de porc maigre, hachée
150 grammes de veau haché
Trois gousses d'ail
Un verre de cognac
Sel

1. Videz, nettoyez et flambez le faisan. Enduisez-le d'ail écrasé.
2. Coupez des lamelles de truffes et incisez la peau de l'animal à l'aide d'un couteau ou d'une aiguille à barder pour insérer quelques lamelles de truffes entre la chair et la peau.
3. Mélangez les viandes hachées, assaisonnez avec une gousse d'ail écrasé, ajoutez le cognac, un peu de sel et les truffes en petits morceaux. Farcissez le faisan et cousez avec du fil de cuisine. Maintenez bien les pattes et les ailes. Bardez avec les tranches de poitrine et placez le faisan dans un plat allant au four, avec un peu d'eau au fond.
4. Laissez cuire à four chaud jusqu'à ce qu'il soit tendre (la cuisson est plus lente que normalement pour que la farce soit bien cuite).

Agneau à la chilindron

Agneau tendre
Jambon de Bayonne
Un oignon
Tomates
Poivrons
Une gousse d'ail
Poivre moulu
Huile et sel

1. Coupez l'agneau en gros morceaux, salez et poivrez. Coupez le jambon en dés. Hachez les oignons. Pelez et coupez les poivrons en petits morceaux. Pelez et hachez les tomates.
2. Dans une cocotte en terre cuite faites frire l'ail dans de l'huile. Ajoutez les morceaux d'agneau et faites-les dorer. Enfin, mettez le jambon et l'oignon.
3. Une fois l'oignon bien doré, ajoutez les poivrons. Remuez et versez les tomates. Laissez frire le tout sans cesser de mélanger. Servez dans le même récipient.

Volailles

Canard au citron

Un canard
Beurre
Bouillon
Le zeste de deux citrons
Trois verres de vin
Trois morceaux de sucre
Une cuillère à soupe de fécule
Sel et poivre

1. Enduisez le canard de beurre et faites-le cuire au four. Arrosez-le de temps en temps avec le bouillon.
2. Dans un autre récipient, faites réduire le vin auquel vous aurez ajouté les écorces de citron et le sucre.
3. Versez cette sauce sur le canard tandis qu'il cuit. Salez, poivrez, et liez la sauce avec une cuillère de fécule. Servez le canard nappé de cette sauce.

Canard à l'orange

Un canard
Trois oranges
Graisse de porc
Beurre
Farine
Cognac
Bouillon
Sel

1. Nettoyez et flambez le canard. Avec les abats (sauf le foie) préparez un bouillon très concentré, en le faisant bouillir pour en obtenir une tasse.
2. Pelez une orange, retirez toute la peau et introduisez-la à l'intérieur de l'animal. Salez-le et enduisez-le de graisse de porc.
3. Au fond d'un plat versez trois cuillères à soupe de bouillon ou d'eau. Disposez le canard sur une grille dans le plat et faites-le rôtir au four en l'arrosant de son propre jus. Le temps de cuisson dépend du poids de l'animal (35 minutes par kilo environ).
4. Pelez les autres oranges en retirant la partie blanche et faites blanchir les zestes dans de l'eau bouillante. Ecrasez-les dans le mortier avec le foie; ajoutez un verre de cognac pour faire une bouillie.
5. Dégraissez le jus de cuisson du canard. Travaillez une cuillère à soupe de farine avec une cuillère de beurre. Mélangez à la bouillie de zestes et de foie et ajoutez le bouillon préparé avec les abats. Laissez cuire jusqu'aux premiers bouillons et passez le tout au chinois.
6. Découpez le canard en aiguillettes et reconstituez la forme originale de l'animal sur un plat de service. Servez la sauce dans une saucière à part.

Volailles

Canard farci aux pruneaux

Un canard
300 grammes de pruneaux
Un verre et demi de cognac
230 grammes de carottes
Un oignon
100 grammes de raisins secs
Beurre
Sel et poivre

1. La veille, faites tremper les pruneaux et les raisins secs dans un récipient avec le cognac et un verre d'eau.
2. Farcissez le canard avec la moitié des pruneaux et refermez en cousant avec de la ficelle. Faites-le dorer dans une cocotte avec du beurre.
3. Une fois doré, ajoutez l'oignon haché, les carottes coupées en rondelles et un verre d'eau. Salez et poivrez.
4. Laissez cuire pendant une heure puis ajoutez les pruneaux restants et remettez à cuire trois quarts d'heure. Servez dans le plat entouré des pruneaux et nappé du jus de cuisson.

Paupiettes aux saucisses

600 grammes de viande en un morceau
Quatre saucisses de Francfort
Beurre
Vin blanc sec
Bouillon
Sel

1. Aplatissez le morceau de viande. Disposez dessus les saucisses, roulez la viande et liez-la.
2. Mettez le roulé dans une cocotte et faites-le dorer. Ajoutez un demi-verre de vin blanc et attendez qu'il réduise. Salez et ajoutez deux louches de bouillon.
3. Laissez cuire à feu couvert pendant une heure et demie. S'il y a trop de jus au fond, faites réduire en augmentant le feu après avoir retiré le couvercle.

Volailles

Canard aux raisins verts

Un canard
Un kilo et demi de raisins verts
Beurre
Cannelle
Sel et poivre

1. La veille, préparez un jus avec un kilo de raisins. Saupoudrez de cannelle, sel et poivre l'intérieur du canard. Laissez-le mariner toute la nuit dans le jus de raisins après avoir ajouté du sel, du poivre et de la cannelle.
2. Le lendemain, faites dorer le canard dans du beurre. Ajoutez ensuite le jus de la marinade et laissez cuire à feu doux pendant une heure en laissant le couvercle entrouvert.
3. Dans une autre casserole, faites revenir rapidement le

reste des raisins dans du beurre. Servez le canard entouré de ceux-ci.

Poulet à l'ail

Un poulet
Ail
Piment fort, séché
Vin blanc
Huile, sel et poivre

1. Coupez le poulet en morceaux, salez-le et faites-le frire dans de l'huile.
2. Transvasez-le dans une cocotte en terre cuite. Dans la même poêle, après avoir retiré un peu d'huile, faites frire les gousses d'ail en morceaux, avec un peu de piment.
3. Une fois frits, retirez la poêle du feu et ajoutez un petit verre de vin blanc. Versez cette sauce sur le poulet en râclant

bien le fond.
4. Mettez la cocotte sur le feu et faites cuire jusqu'à ce que le vin réduise et que le poulet commence à frire. Servez dans le même récipient.

Dinde rôtie

Une dinde
Chapelure
Graisse ou beurre
Persil haché
Fines herbes (en poudre)
Thym en poudre
Jus de citron
Deux oeufs battus
Vin blanc sec
Un demi-litre de bouillon
Sel et poivre

1. Préparez une farce avec la chapelure, la graisse, le persil, les herbes, le thym, salez et poivrez. Farcissez-en la dinde

par l'orifice du cou.
2. Enduisez la dinde de beurre et faites-la cuire au four. Auparavant, pesez-la avec la farce car elle doit cuire une demi-heure par livre plus un quart d'heure. Vous pouvez la cuire couverte de papier d'aluminium (retirez-le quarante cinq minutes avant la fin de la cuisson pour qu'elle dore), ou découverte (arrosez-la alors de sa graisse).
3. La cuisson terminée, dégraissez le jus et ajoutez le vin. Laissez réduire de moitié. Versez le bouillon et faites cuire dix minutes encore.
4. Servez la dinde entière dans un grand plat, avec une garniture de légumes au choix.

Saucisses aux choux

Saucisses de Francfort
Oignon
Un poireau
Chou blanc
Tomates
Beurre
Sel et poivre

1. Faites frire les saucisses dans une poêle avec du beurre chaud, jusqu'à ce qu'elles soient bien dorées. Gardez-les à part.
2. Coupez l'oignon en fines rondelles et le poireau en petits morceaux. Faites-les revenir dans la même poêle pendant cinq minutes. Ajoutez le chou (bien haché) et les tomates (pelées et coupées) et laissez cuire quelques instants.
3. Ajoutez du sel et du poivre au mélange et mettez dans un plat couvert allant au four; cuisez à four moyen, durant vingt minutes.
4. Retirez le couvercle et ajoutez les saucisses. Laissez au four encore dix minutes. Servez avec une garniture de pommes de terre à la vapeur.

Tournedos ''Maître d'Hôtel''

Quatre tournedos
Beurre
Persil haché
Jus de citron
Sel et poivre

1. Choisissez les tournedos dans la partie la plus fine du filet. Entourez-les d'une barde de lard.
2. Faites-les rôtir ou revenir à feu vif avec un peu de beurre. Une fois cuits, salez et poivrez.
3. Préparez une sauce avec du beurre, du persil haché, un jus de citron, du sel et du poivre. Ornez-en les tournedos. Servez avec une garniture de légumes.

Dinde à la confiture

Une dinde
Une tranche de lard pour barder
Cinq grandes carottes
Trois oignons
500 grammes de farce
Deux truffes
1/4 de litre de vin blanc
200 grammes de crème
250 grammes de confiture de myrtilles

Sel et poivre
1. Coupez les truffes, ajoutez-les à la farce et farcissez la dinde. Cousez-la pour refermer et bardez-la de lard.
2. Mettez-la au four, dans un grand plat avec les carottes en petits morceaux, les oignons en gros morceaux et un quart de litre d'eau. Arrosez-la souvent pendant la cuisson et retournez-la.
3. En fin de cuisson, retirez la barde de lard et faites dorer la dinde au four.
4. Sortez la dinde du four et déglacez la sauce avec du vin blanc. Dès les premiers bouillons, arrêtez le feu et passez la sauce au chinois. Salez, poivrez et liez avec de la crème fraîche. Réchauffez cette sauce au bain-marie; servez la dinde nappée de sauce et avec de la confiture de myrtilles en accompagnement.

Volailles

Dinde truffée

Une petite dinde, jeune
Une petite boîte de truffes
250 grammes de veau haché
250 grammes de porc maigre,
haché
Un oeuf
Deux gousses d'ail
Graisse de porc
Un verre de xérès sec
Pain et lait
Noix de muscade
Persil
Sel

1. Nettoyez et flambez la dinde. Laissez-la reposer dans un endroit frais et sec pendant vingt quatre heures. Avec les abats bouillis dans un demi-litre d'eau, préparez un bouillon.
2. Mélangez les viandes hachées avec cent grammes de mie de pain trempée dans du lait et égouttée. Ajoutez la moitié du xérès. Faites un hachis d'ail et de persil et diluez-le dans l'eau des truffes. Puis ajoutez les truffes en lamelles et l'oeuf battu. Mélangez bien.
3. Farcissez la dinde de ce mélange, refermez en cousant. Enduisez-la de graisse de porc, salez et saupoudrez de noix de muscade.
4. Mettez-la au four moyen et retournez-la régulièrement pour qu'elle dore de tous les côtés. Une fois dorée, árrosez-la avec le reste de xérès et un peu de bouillon. Laissez cuire en l'arrosant de son jus. Avant la fin de la cuisson, retournez la dinde avec le poitrail vers le haut et arrosez-la bien.
5. Une fois cuite, laissez la vapeur ramollir la viande pendant une demi-heure en la mettant dans un récipient couvert. Entre-temps, dégraissez la sauce, ajoutez un quart de litre de bouillon, laissez bouillir quelques instants et passez au chinois.
6. Pour découper la dinde, commencez par séparer les cuisses et les ailes. Coupez les blancs en tranches fines. Sortez la farce et découpez-la en tranches fines. Arrosez d'un peu de jus et servez le reste dans une saucière à part.

Poule en pépitoria

Une poule
Deux oeufs durs
Un oignon
Trois gousses d'ail
Huit amandes fraîches
Farine
Vin blanc
Safran, laurier et persil
Huile et sel

1. Nettoyez la poule et coupez-la en morceaux, puis ajoutez l'ail écrasé. Laissez reposer une demi-heure. Roulez les morceaux dans la farine et faites-les frire dans de l'huile bien chaude pour qu'ils dorent. Mettez-les dans une cocotte.
2. Dans la même huile, si elle n'a pas trop chauffé, faites frire l'oignon haché très fin. Ajoutez-le dans la cocotte et arrosez d'un verre de vin blanc, puis de bouillon ou d'eau. Salez, couvrez et laissez cuire jusqu'à ce que la chair soit bien tendre, en remuant de temps à autre pour qu'elle n'attache pas au fond.
3. Dans le mortier, écrasez une gousse d'ail frit avec les amandes pelées, les jaunes des oeufs durs, un soupçon de safran et un peu de persil. Diluez avec un peu de bouillon de cuisson et ajoutez dans la cocotte lorsque la poule est bien tendre. Ajoutez également une demi-feuille de laurier.
4. Une fois la cuisson terminée, disposez la viande sur un plat. Laissez cuire la sauce pour qu'elle soit à point. Remettez la viande afin qu'elle se réchauffe et servez dans un plat profond avec toute la sauce.

Pigeons aux olives

Deux pigeons
Un oignon
Une carotte
200 grammes d'olives vertes
Une branche de céleri
Une cuillère à soupe de
concentré de tomates
Une cuillère à café de farine
100 grammes de bacon
Thym et laurier
Sel et poivre

1.   Dans une cocotte avec du beurre, faites dorer les pigeons.
2.   Ensuite, ajoutez les carottes, les oignons hachés, le céleri et le bacon coupés en petits morceaux. Laissez dorer et versez la farine.
3.   Arrosez avec un quart de litre d'eau, puis ajoutez les olives, le thym, le laurier, le sel, le poivre, et le concentré de tomates. Couvrez et laissez cuire vingt minutes.

Poulet au gratin

Un poulet
Un poireau
Carottes
Persil
Poivre en grains
Laurier
Quatre gousses d'ail
Fromage râpé
Sel
Béchamel

1.   Frottez le poulet avec du citron et laissez-le reposer dans de l'eau froide pendant six heures.
2.   Egouttez-le. Mettez-le dans une cocotte avec les légumes et couvrez d'eau. Salez. Laissez bouillir à feu très doux jusqu'à ce qu'il soit tendre.
3.   Coupez le poulet en quatre et mettez-le dans un plat allant au four. Couvrez avec la béchamel et saupoudrez de fromage râpé. Gratinez au four et servez très chaud.

Volailles

Pintades au céleri

Deux pintades
Deux gousses d'ail
150 grammes de lard
1/2 kilo de céleri
Deux oignons
Un verre de vin blanc
Beurre
Thym, laurier et persil
Huile
Sel et poivre

1. Nettoyez les pintades, faites-les flamber et enduisez-les d'ail écrasé.
2. Dans une cocotte en terre cuite, faites frire le lard en petits morceaux. Puis faites dorer les pintades. Ajoutez les oignons en morceaux et faites revenir. Arrosez de vin, salez et poivrez. Enfin, ajoutez un bouquet garni (thym, laurier et persil) et laissez cuire à feu doux, en ajoutant de l'eau ou du bouillon si nécessaire.
3. Nettoyez les feuilles de céleri et coupez-les en morceaux. Faites-les cuire dans de l'eau salée. Une fois cuites, faites-les revenir dans du beurre. Ajoutez-les aux pintades au moment de servir.

Poulet en pépitoria

Un poulet
Ail
Oignon
Les jaunes de deux oeufs durs
Vin blanc
Citron
Graisse
Un cube de bouillon de poule
Laurier, safran
Huile, sel et poivre

1. Dans une cocotte, faites chauffer deux cuillères de graisse et une d'huile. Ajoutez les gousses d'ail et retirez-les. Ensuite, laissez dorer l'oignon en morceaux et le poulet coupé.
2. Arrosez le poulet avec un verre de vin blanc et ajoutez de l'eau pour le recouvrir. Désagrégez le bouillon en cube. Laissez cuire jusqu'à ce que le poulet soit tendre.
3. Retirez le poulet et passez la sauce au chinois. Ecrasez l'ail frit avec le safran et ajoutez-le dans la sauce. Remettez le poulet dans la cocotte avec la sauce et portez à ébullition.
4. Entre-temps, à part, mélangez les jaunes d'oeufs avec le jus d'un demi-citron et versez quelques cuillères de sauce en remuant doucement. Retirez la cocotte du feu et ajoutez les jaunes dilués; réchauffez sans laisser bouillir. Servez le poulet avec la sauce dans la cocotte.

Chapon farci

Un chapon
250 grammes de jambon
Lard
Un oignon
Deux gousses d'ail
Un verre de cognac
Lait
Pain
Graisse de porc ou huile
Poivre et sel

1. Nettoyez et flambez le chapon. Retirez les pattes et le cou (vous pouvez les utiliser pour faire un bouillon ou une soupe).
2. Arrosez l'intérieur de l'animal avec du cognac. Remplissez-le de jambon en petits morceaux et d'un peu de mie de pain trempée dans du lait et bien égouttée. Refermez en cousant.
3. Bardez la poitrine avec une fine tranche de lard maintenue avec du fil de cuisine. Posez le chapon dans une cocotte avec de la graisse de porc ou de l'huile et de gros morceaux d'oignons. Salez et poivrez.
4. Couvrez et laissez cuire à feu doux pendant une demi-heure. Entre-temps, faites chauffer le four. Retirez le couvercle de la cocotte et recouvrez-la de papier d'aluminium, puis mettez au four durant un peu plus d'une heure. Enlevez le papier d'aluminium et arrosez de cognac et d'un peu d'eau, et laissez dorer quelques instants au four, à température moyenne.

Poulet aux petits-pois, sauce aux amandes

Un poulet
Un kilo de petits-pois
Graisse de porc
Sel, poivre
Ail, persil, amandes
Pain grillé

1. Faites un hachis avec de l'ail, du persil, des amandes et du pain grillé.
2. Coupez le poulet en huit morceaux. Salez, poivrez et faites-le dorer au four avec de la graisse de porc. Il doit être bien croustillant.
3. A part, cuisez les petits-pois avec du bouillon de poule, pendant dix minutes à un quart d'heure. Dès les premiers bouillons, ajoutez le hachis.
4. Servez dans un plat en terre en gardant le bouillon de la cuisson pour réchauffer au four, si nécessaire (dosez bien le bouillon rajouté: assez pour que les petits-pois ne se dessèchent pas, et pas trop pour que le poulet ne ramollisse pas).

Poulet au curry

Un poulet en morceaux
Un oignon
Une pomme
Une cuillerée de curry en poudre
Une cuillerée de curry en pâte
Beurre
Farine
1/2 litre de bouillon de poule
Piment fort, gingembre
Jus de citron
Sel et poivre
60 grammes de noix de coco séchée
Rondelles de citron et d'oignons
Un poivron vert
Persil

1. Faites revenir le poulet dans du beurre chaud et retirez-le.
2. Dans une casserole, faites frire l'oignon haché et la pomme pendant quelques instants. Ajoutez la farine et les deux sortes de curry. Laissez cuire deux ou trois minutes et versez le bouillon. Portez à ébullition jusqu'à l'obtention d'une sauce claire.
3. Ajoutez les épices, le jus de citron et assaisonnez. Puis ajoutez les morceaux de poulet.
4. Avec un peu de bouillon, trempez le coco pendant un moment, filtrez et mettez-le dans la casserole. Laissez cuire à feu doux pendant deux heures.
5. Ornez d'oignons frits, de poivrons verts, de tranches de citron et de persil. Servez accompagné de riz blanc.

Pain de viande

Viande hachée
Tranches de lard
Un oignon moyen
Pain sec
Un oeuf
Bouillon de boeuf
Ail en poudre, poivre
Graisse

1. Hachez la viande, le lard et l'oignon. Emiettez le pain.
2. Mettez le tout dans un récipient et ajoutez l'oeuf battu et le bouillon, salez et poivrez. Le mélange doit être très lisse.
3. Versez-le dans un moule à gâteaux beurré. Couvrez de papier d'aluminium (à moins que vous ne désiriez que la partie supérieure soit croustillante) et faites cuire au bain-marie dans le four, pendant deux heures.
4. Laissez refroidir (avec un poids sur le dessus pour qu'il adopte bien la forme d'un pain). Décorez avec des olives, des tomates, des cornichons, du cresson et servez avec une salade.

Volailles

bien l'oignon. Coupez les tomates en petits dés.

2. Au four, faites griller les poivrons, puis pelez-les et coupez-les en petits morceaux.

3. Faites frire l'ail dans l'huile chaude, puis ajoutez-y le poulet. Lorsqu'il est bien doré, ajoutez le jambon et l'oignon haché.

4. Quand l'oignon est doré, ajoutez les poivrons; remuez, puis ajoutez les tomates. Laissez cuire jusqu'à ce que les ingrédients soient à point et que le liquide se soit évaporé.

Poulet pané

Un poulet
Un oeuf
Jus de citron
Chapelure
Huile, sel et poivre

Pour la sauce:

Un petit oignon
Farine
Bouillon de poule
Zeste d'orange râpé
Jus d'orange
Sucre
Raisin noirs
Sel

1. Découpez le poulet en quatre morceaux, retirez la peau, aplatissez la viande puis salez, poivrez et versez le jus d'un citron.

2. Passez les morceaux dans l'oeuf battu et la chapelure et faites-les frire dans de l'huile chaude pendant dix à quinze minutes; baissez le feu et laissez encore cinq minutes dans la friture.

3. Pour préparer la sauce, faites revenir l'oignon bien haché dans une casserole avec de l'huile. Ajoutez un peu de farine et laissez prendre de la couleur. Versez le bouillon chaud, le zeste d'orange râpé et le sucre. Laissez bouillir. Faites cuire trois minutes, puis ajoutez quelques grains de raisin pelés et épépinés. Laissez cuire un peu.

4. Servez le poulet chaud et la sauce à part dans une saucière. Vous pouvez également servir avec de la sauce tomate et quelques bouquets de persil.

Poulet à la mexicaine

Un poulet découpé
Poivre de Cayenne
Deux paquets de maïs congelé
Un poivron à l'huile
Un piment fort
Farine
Sel

1. Mélangez la farine, le poivre de Cayenne et le sel, selon votre goût. Roulez les morceaux de poulet dans cette préparation.

2. Faites frire le poulet dans de l'huile bien chaude.

3. Entre-temps, réchauffez le maïs après avoir ajouté des lamelles de poivron et un piment fort. Servez le poulet accompagné de ce maïs.

Poulet à la chilindron

Deux poulets
Jambon de Bayonne
Six poivrons
Un oignon
Un kilo de tomates bien mûres
Une gousse d'ail
Huile, poivre et sel

1. Découpez le poulet, salez et poivrez. Coupez le jambon en petits morceaux. Hachez

Poulet à l'ananas

Un poulet
Graisse de porc
Un verre de cognac
Un ananas (ou une boîte
d'ananas)
Riz bouilli
Huile
Sel et poivre

1.   Nettoyez le poulet sans le découper, salez et poivrez. Versez le cognac à l'intérieur ainsi que de la graisse de porc.
2.   Enduisez-le également de graisse à l'extérieur et faites-le cuire au four très chaud. Retournez-le pour qu'il rôtisse uniformément et arrosez-le de temps à autre avec son jus.
3.   Une fois doré, servez-le dans un plat entouré de rondelles d'ananas et de riz blanc.

Poulet à la bière

Un poulet
Un oignon
Une carotte
Deux pommes de terre
Une bière
Farine
Huile, sel et poivre

1.   Coupez le poulet, roulez-le dans la farine et faites-le frire.
2.   Mettez les morceaux de poulet frit dans une casserole. Ajoutez la bière, l'oignon et la carotte (coupés en petits dés). Couvrez et laissez mijoter.
3.   Au bout de vingt minutes, ajoutez les pommes de terre en petits morceaux. Continuez la cuisson jusqu'à ce que les pommes de terre soient cuites.

Poulet au xérès

Un poulet
Une gousse d'ail entière
Huile, poivre et sel
Xérès sec
Thym, laurier, romarin
et fenouil

1.   Assaisonnez l'intérieur du poulet avec du sel, du poivre et une cuillère à café de xérès. Cousez pour refermer. Arroser l'extérieur de xérès, salez et poivrez.
2.   Mettez le poulet dans la cocotte. Ajoutez l'ail, ainsi que les herbes. Couvrez et enfournez à feu moyen pendant trois quart d'heure à une heure environ. Peu avant la fin de la cuisson, retirez le couvercle pour que le poulet dore.

Grillades à la catalane

Tranches de lapin
Poulet
Côtes de porc
Jambon cru
Graisse de porc
Chapelure
Sel
Un quart de litre de sauce
Sauce à l'aïoli

1.   Coupez les viandes en morceaux réguliers, salez et poivrez.
2.   Enduisez les morceaux de graisse de porc et roulez-les dans la chapelure.
3.   Faites griller sur un gril très chaud avec un peu de graisse et réduisez le feu peu à peu. Servez accompagné de la sauce à l'aïoli. Vous pouvez également servir avec des poivrons au four.

Gibier

Poulet farci

Un poulet
600 grammes de riz
Un oignon
100 grammes de raisins secs
100 grammes d'amandes
Persil
Noix de muscade
Beurre et huile
Sel et poivre

1.   Faites fondre un peu de beurre et faites cuire, pendant un quart d'heure, le riz et une partie de l'oignon haché très fin, assaisonnez de noix de muscade, sel et poivre.
2.   Après quelques instants, ajoutez les raisins secs (préalablement gonflés dans de l'eau chaude) et la moitié des amandes effilées.
3.   Utilisez cette farce pour remplir le poulet (n'oubliez pas que le riz gonfle en cuisant). Mettez-le dans une cocotte avec un peu de beurre et d'huile,

ajoutez le reste de l'oignon haché et laissez cuire à feu doux. Servez le poulet sur un lit de riz cuit auquel vous aurez ajouté le reste des amandes et des raisins.

Perdreaux en salmis

Quatre perdreaux
100 grammes de lard
Quatre carottes
Un oignon
Trois gousses d'ail
Persil et laurier
Vin blanc
Huile et sel

1.   Nettoyez et flambez les perdreaux. Essuyez-les avec un torchon à l'intérieur et à l'extérieur.
2.   Dans une cocotte, faites chauffer l'huile et le lard en petits morceaux. Mettez-y les perdreaux pour qu'ils dorent.
3.   Ajoutez ensuite l'oignon

haché, la carotte en morceaux, l'ail pilé dans un mortier avec le persil et un peu de laurier salez et diluez dans un verre de vin blanc. Couvrez la cocotte et laissez cuire lentement. Le temps de cuisson normal est d'environ une heure.
3.   Une fois cuits, coupez les perdreaux en deux et disposez-les sur un plat. Laissez épaissir la sauce et passez-la au chinois. Nappez-en les perdreaux.

Lièvre aux haricots blancs

Un lièvre
400 grammes de haricots blancs
Un oignon
Deux gousses d'ail
Vin blanc
Thym et laurier
Piment fort
Huile, sel et poivre

1.   Coupez le lièvre en

morceaux et assaisonnez-le d'ail, de thym en poudre et de sel.
2.   Mettez les morceaux dans une cocotte en terre et ajoutez l'oignon haché et une feuille de laurier. Arrosez d'un verre de vin blanc, d'un filet de vinaigre et d'un verre d'huile. Laissez cuire jusqu'à ce que la viande soit bien tendre, ajoutez de l'eau si nécessaire pour éviter que la préparation ne se dessèche.
3.   Les haricots (faites-les tremper toute la nuit précédente) cuiront séparément dans de l'eau.
4.   Une fois les haricots et la viande cuits, mettez-les ensemble dans la cocotte et laissez cuire encore quinze à vingt minutes. Ajoutez un peu de piment fort et servez à même la cocotte.

Ragoût de lièvre

Un lièvre
500 grammes de pommes de
terre
Trois tomates
Un oignon
Cinq gousses d'ail
Vin rouge
Thym et laurier
Piment fort
Huile, sel et vinaigre

1.   Découpez le lièvre en

morceaux, assaisonnez-le d'ail pilé dans un mortier et laissez reposer une heure.
2.   Mettez les morceaux dans une cocotte en terre avec l'oignon coupé en gros morceaux, deux gousses d'ail écrasées, les tomates en tranches, une branche de thym, un peu de piment, une demi-feuille de laurier, un filet de vinaigre et un verre de vin rouge. Couvrez et laissez mijoter jusqu'à ce que tout soit

bien tendre.
3.   Ajoutez alors les pommes de terre pelées et coupées en morceaux et laissez cuire. Servez à même le plat.

Perdreaux à la vinaigrette

Quatre perdreaux
Deux oignons
Deux gousses d'ail
Une feuille de laurier
Vin blanc

Huile et vinaigre
Sel et poivre

1.   Plumez et flambez les perdreaux. Liez-les avec du fil de cuisine.
2.   Faites-les revenir dans une cocotte avec de l'huile. Lorsqu'ils sont bien dorés, ajoutez les oignons hachés, le sel et le poivre et laissez revenir encore un peu.
3.   Ajoutez l'ail écrasé, du vinaigre, du persil ciselé, le laurier et un peu d'eau. Couvrez et laissez mijoter une demi-heure à feu moyen.
4.   Quand les perdreaux sont bien tendres, disposez-les dans un plat et nappez-les de sauce. Servez bien chaud.

Gibier

Feuilletés de cailles

Cailles
Pâte feuilletée
Beurre
Estragon
Un oeuf
Sel et poivre

1. Faites dorer les cailles dans du beurre et ajoutez des feuilles d'estragon, du sel et du poivre.

2. Une fois dorées, enveloppez-les dans de la pâte feuilletée. Badigeonnez-les au pinceau d'oeuf battu et mettez-les à cuire au four.

3. Lorsqu'elles sont cuites et la pâte bien dorée, servez-les accompagnées de boulettes de beurre à l'estragon.

Cailles enrobées dans des poivrons

Quatre cailles

Quatre gros poivrons rouges ou verts
Chapelure
Mozzarella
Vin blanc
Sauge, basilic et persil
Poivre moulu et sel

1. Coupez une calotte sur la partie supérieure des poivrons comme si vous alliez les farcir. Retirez les graines, nettoyez-les et saupoudrez-les de sel.

2. Salez l'intérieur des cailles déjà nettoyées et mettez deux feuilles de sauge. Ensuite, introduisez une caille dans chaque poivron.

3. Coupez le fromage en petits morceaux et mélangez-les au basilic et au persil hachés, avec un peu d'huile, du sel et du poivre. Terminez de remplir les poivrons avec ce mélange, tout autour des cailles.

4. Replacez la calotte sur les poivrons (vous pouvez la maintenir en piquant deux bâtonnets). Disposez-les dans une cocotte, arrosez d'un peu d'huile et faites cuire à four chaud.

5. Sortez les poivrons farcis avec précaution, retirez les bâtonnets et mettez-les dans un plat chaud.

6. Ajoutez du vin blanc au jus de cuisson et laissez la cocotte sur le feu jusqu'à ce que la sauce ait réduit de moitié. Nappez-en les poivrons.

Lapin en cocotte

Un lapin
Six pommes de terre
Quatre gousses d'ail
Une tasse de bouillon
Farine
Vin blanc
Persil, laurier et thym
Huile et sel

1. Nettoyez et videz le lapin, retirez les pattes et la tête et laissez-le reposer toute la nuit. Séchez-le avec un linge et découpez-le en morceaux. Mettez-le dans un endroit frais pendant une heure.
2. Salez-le et faites-le revenir avec le foie dans de l'huile, jusqu'à ce qu'il soit bien doré. Ajoutez alors deux branches de persil ciselé, une demi-feuille de laurier, une cuillerée de farine, un petit verre de vin blanc, le bouillon et un peu de thym. Couvrez et laissez mijoter.
3. A mi-cuisson, ajoutez les

pommes de terre en dés. Retirez le foie de la cocotte, écrasez-le dans un mortier avec un peu de sel et remettez-le à cuire avec le lapin jusqu'à ce que le lapin soit tendre.

Lapin au romarin

Un lapin
750 grammes de pommes de terre
250 grammes de tomates
Un oignon
Une branche de romarin
Deux gousses d'ail
Vin blanc
Persil et laurier
Thym
Noix de muscade
Huile et sel

1. Coupez le lapin en morceaux, salez-le et faites-le revenir avec de l'huile dans une poêle.
2. Au fur et à mesure que les morceaux dorent, mettez-les

dans une cocotte en terre. Ajoutez l'oignon haché et faites-le revenir. Versez un verre de vin blanc, couvrez et laissez cuire dix minutes.
3. Dans un mortier, écrasez l'ail avec une branche de persil haché, un peu de thym et le romarin. Diluez avec une cuillère à soupe d'eau et mettez le mélange dans la cocotte. Saupoudrez le lapin de noix de muscade et ajoutez les tomates pelées et coupées en morceaux. Couvrez à nouveau et laissez mijoter jusqu'à ce que la viande soit tendre. A mi-cuisson, mettez les pommes de terre pelées et coupées. Servez à même la cocotte.

Cailles à l'étouffée

Cailles
Un oignon
Deux gousses d'ail
Cognac
Laurier et persil

Huile et sel

1. Nettoyez et flambez les cailles. Ouvrez-les par le dos, aplatissez-les et posez-les dans une cocotte en terre.
2. Ajoutez l'oignon et l'ail hachés, une demi-feuille de laurier, une branche de persil haché, un demi-verre de cognac et de l'huile. Salez.
3. Couvrez la cocotte et laissez mijoter pendant vingt à trente minutes. Ajoutez de l'eau ou du bouillon, si nécessaire.
4. Retirez les cailles et passez la sauce au chinois. Versez-la sur les cailles et servez bien chaud.

Gibier

Lapin aux navets

Un lapin
Deux oignons
Deux échalottes
Deux clous de girofle
Un kilo de navets
1/2 litre de cidre
Une cuillère à café de farine
Beurre
Sel et poivre

1. Coupez le lapin en morceaux et faites-le dorer dans une cocotte avec du beurre.
2. Lorsqu'il est doré, ajoutez la farine et les oignons hachés. Salez et poivrez, ajoutez le cidre et les clous de girofle.
3. Couvrez et faites cuire un quart d'heure. Ajoutez alors les navets préalablement cuits dans de l'eau bouillante salée. Laissez cuire encore une demi-heure.

Pigeons à la casserole

Quatre petits pigeons
Lard
Deux oignons
1/2 litre de bouillon de poule
Beurre
Farine
Poivre moulu, sel
Une boîte de champignons
Croûtons frits
Persil

1. Coupez le lard en petits morceaux et faites-le dorer.
2. Assaisonnez les pigeons et faites-les dorer. Retirez-les et faites frire les oignons hachés. Retirez-les.
3. Dans la même huile, ou beurre, faites dorer un peu de farine en mélangeant sans cesser pendant quelques instants. Ajoutez le bouillon, assaisonnez et portez à ébullition.
4. Ajoutez le lard, les oignons et les pigeons frits et laissez cuire à feu doux jusqu'à ce que les pigeons soient tendres. Versez la boîte de champignons égouttés et coupés en lamelles et faites mijoter un quart d'heure.
5. Décorez avec des croûtons et du persil haché.

Gibier

Perdrix aux lentilles

Deux perdrix
Quatre gousses d'ail
Deux feuilles de laurier
1/2 litre de vin blanc
Deux oignons
200 grammes de graisse de porc
Deux verres de xérès sec
250 grammes de carottes
250 grammes de lentilles
150 grammes de lard
Huile et sel

1. Nettoyez les perdrix. Dans une grande cocotte, faites frire les oignons hachés dans de la graisse. Faites revenir ensuite les perdrix pendant un quart d'heure.
2. Ajoutez le vin, le thym, le laurier, les gousses d'ail (écrasées au préalable avec les foies et un peu de xérès). Laissez cuire jusqu'à ce que les oiseaux soient bien tendres et la sauce bien épaisse.
3. Dans un autre récipient, mettez les lentilles à cuire (elles auront trempé auparavant). Ajoutez le lard, les carottes, une feuille de laurier et du sel. Laissez cuire une demi-heure. Lorsqu'elles sont cuites, versez-les dans un plat et disposez les perdrix dessus.

Lapin rôti à l'ailloli

Un lapin
Citron
Huile, poivre et sel
Sauce à l'ailloli
Sauce aux herbes

1. Coupez le lapin en morceaux. Saupoudrez de poivre. Versez un filet de citron et de l'huile. Laissez macérer dans un plat profond pendant vingt minutes.
2. Faites griller sur un gril très chaud. Durant la cuisson, arrosez avec la marinade. Retournez le lapin jusqu'à ce qu'il soit bien cuit.
3. Servez accompagné de sauce à l'ailloli et aux herbes, présentée dans des récipients à part.

La cuisine dans la peinture

Bien que cela paraisse incroyable, la tortue a long-temps été considérée comme un mets exquis, en particulier préparée en potage. Un fameux gastro-nome disait: "Une soupe de tortue est un entrée parfaite pour un bon dîner". Cependant pour un bon repas, on ne se contente pas que de soupe et de hors-d'oeuvre. Depuis des temps immémoriaux, la bonne musique accompagnait les grands banquets. Les meilleurs musiciens baroques composèrent des pièces instrumentales pour le repas de cérémonie. Mozart, qui était fin gastronome, composa de magnifiques concertos pour les sociétés maçonniques de Vienne où l'on mangeait bien et où l'on chantait encore mieux.

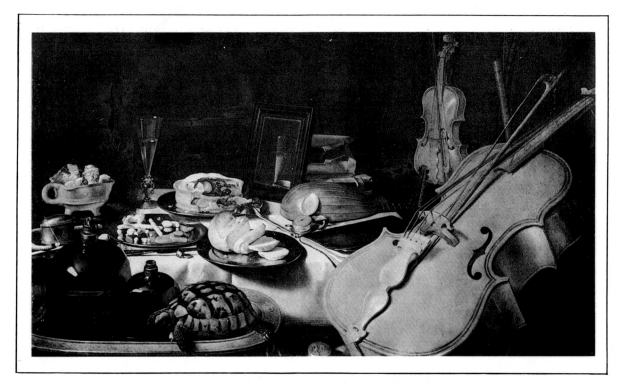

P. Claesz - Nature morte aux instruments de musique - Le Louvre - Paris

A l'époque impériale, les Romains appréciaient la langue des oisseaux chanteurs qu'ils considéraient comme un mets mélodieux et d'une saveur délicate. Du dindon, ils mangeaient la cervelle, de l'autruche, ils préféraient les ailes, de l'oie évidemment le foie. Pour provoquer le gonflement du foie des oies, ils les alimentaient de figues et de fruits sucrés, technique encore pratiquée par les meilleurs fabricants de foie gras. Dans son "Histoire naturelle", Pline l'Ancien assurait que le foie augmentait de volume de façon substantielle si on le trempait dans du lait et du miel. Un Alsacien du nom de Close, cuisinier du duc de Contades, améliorait le pâté en le bardant de viande hachée et de pâté pour en conserver l'arôme.

C. Peeters - Nature morte - Musée du Prado - Madrid

Menéndez - Nature morte - Musée du Prado

La cuisine est un art classique qui bénéficia dans le passé, comme la chasse, de certaines règles strictes. Il n'est pas extraordinaire que les événements les plus importants s'accompagnaient d'un repas gastronomique. Au congrès de Vienne, où l'Europe libérale fut mise en échec, se réunirent aussi les meilleurs cuisiniers de tous les temps. Ils préparèrent en particulier pour le prince Maurice de Metternich, une sauce chasseur avec des châtaignes et du chou rouge, assaisonnée abondamment de piment rouge en poudre. A cette époque-là, on faisait encore la politique à table, coutume sans doute plus intelligente que de pratiquer la "politique de couloir".

Le peintre Claude Gellée, dit Le Lorrain, fut l'inventeur de la pâte feuilletée. Etant de famille modeste, il dut se placer comme apprenti pâtissier dans son village natal et confectionna des tartes à la crème avant de peindre "Le débarquement de Cléopâtre à Tarse". Peinture et pâtisserie ne sont pas arts comparables même si l'on traite habituellement de "croûte" un mauvais tableau. Cependant Le Lorrain fut un cas à part: sans avoir jamais été peintre maudit (ses contemporains l'appelaient "le Raphaël du paysage"), il fut un jour enfermé dans un souterrain comme pâtissier maudit par ses rivaux désireux d'éviter que soit divulguée la recette de la pâte feuilletée.

W.C. Heda - Nature morte au déjeuner - Musée des Beaux Arts - Gand

Index des recettes

Les recettes marquées d'un
astérisque * son illustrés.

© 1985 Ediciones CASTELL
CARNES - AVES - CAZA

Pour la langue français :

© 1988 PIERRE ZECH
ÉDITEUR, Paris
Dépôt légal : 2è trimestre
1988
I.S.B.N. 2.283.75 103-9
Imprimé en Espagne